小説

弱虫《よわむし》ペダル

8

原作
渡辺航
ノベライズ
輔老心

岩崎書店

弱虫ペダル⑧ 目次

登場人物《とうじょうじんぶつ》

今泉《いまいずみ》俊輔《しゅんすけ》

自転車競技《きょうぎ》に命をかける、毎日ストイックに走り続ける高校一年生。中学時代は県内《けんない》でも有名なレーサーだった。坂道の走りに関心《かんしん》を持っている。

小野田《おのだ》坂道《さかみち》

ママチャリで往復《おうふく》九十キロの秋葉原《あきはばら》への道のりを毎週欠《か》かさず通う高校一年生。自転車に自分の可能性《かのうせい》があるなら、と千葉県《ちばけん》一強い自転車競技部《きょうぎぶ》に入部する。

鳴子《なるこ》章吉《しょうきち》

自転車と友だちを大事にする関西《かんさい》出身のレーサー。浪速《なにわ》のスピードマンの異名《いみょう》を持つ高校一年生。坂道のよきアドバイザーでもある。

総北《そうほく》高校自転車競技《きょうぎ》部《ぶ》 三年生

主将《しゅしょう》

金城《きんじょう》真護《しんご》

田所《たどころ》 迅《じん》

巻島《まきしま》裕介《ゆうすけ》

箱根《はこね》学園《がくえん》自転車部

新開《しんかい》隼人《はやと》

主将《しゅしょう》

福富《ふくとみ》寿一《じゅいち》

真波《まなみ》山岳《さんがく》

泉田《いずみだ》塔一郎《とういちろう》

東堂《とうどう》尽八《じんぱち》

荒北《あらきた》靖友《やすとも》

京都伏見《きょうとふしみ》高等学校

御堂筋《みどうすじ》 翔《あきら》

前回までのあらすじ

箱根《はこね》〜富士山周辺《ふじさんしゅうへん》を舞台《ぶたい》に、三日間にわたって行われている大レース、その名も「インターハイ」。初優勝《はつゆうしょう》をめざす千葉県代表《ちばけんだいひょう》、総北高校自転車競技部《そうほくこうこうじてんしゃきょうぎぶ》では、初心者《しょしんしゃ》レーサー小野田坂道《おのださかみち》が、一年生ながらレギュラーメンバーとして走っている。坂道のがんばりもあって、初日《しょにち》の結果《けっか》は、総北高校の金城真《きんじょうしん》護《ご》と、優勝候補《ゆうしょうこうほ》の箱根学園《はこねがくえん》・福富寿一《ふくとみじゅいち》、そして、西からの刺客《しかく》・京都伏見《きょうとふしみ》高校の御堂筋翔《みどうすじあきら》が三台同タイムでトップという劇的《げきてき》なことになった。この前代《ぜんだい》未聞《みもん》のできごとに観客《かんきゃく》は最高《さいこう》のもり上がりを見せる。

あけて二日目。総北高校にスタート直後からトラブル発生《はっせい》。大会の注目スプリンターの田所迅《たどころじん》が体調不良《たいちょうふりょう》を起こし、走れなくなってしまったのだ。レースは始まっている！ どんどんおいていかれる田所――!! この緊急事態《きんきゅうじたい》のために、総北高校の作戦《さくせん》はズタズタになった。

運命《うんめい》の二日目、総北高校はおくれを取りもどせるのか、はたして――。

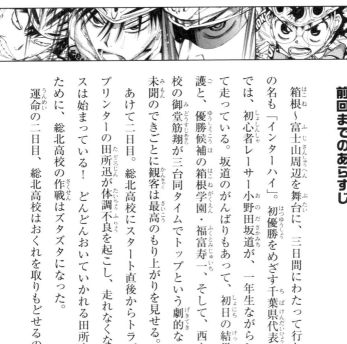

はじまる前に

この巻《かん》では、インターハイの二日目のレースが、始まったところです。
ここでの自転車の高校日本一を決めるインターハイの流れは、

・三日間かけて行われる。
・毎日、朝にスタートして、夕方前にゴールする。
・一日目は、江ノ島《えのしま》から百二十台がいっせいにスタート。
・つぎの日からは、前日のタイム差《さ》の順《じゅん》に、秒数《びょうすう》をあけてスタート。
・とちゅうでこけて、けがをして走れなくなったらリタイアになる。
・三日目の最後《さいご》のゴールでトップだった選手《せんしゅ》が総合優勝《そうごうゆうしょう》。
・ゴールをねらうのは、各チームの最強選手《さいきょうせんしゅ》「エース」だ。

これらを頭のかたすみにおいておけば、インターハイがより楽しめるよ。

本書は、秋田書店刊の『弱虫ペダル』をもとに小説化したものです。文章化するにあたり、台詞など一部改めています。

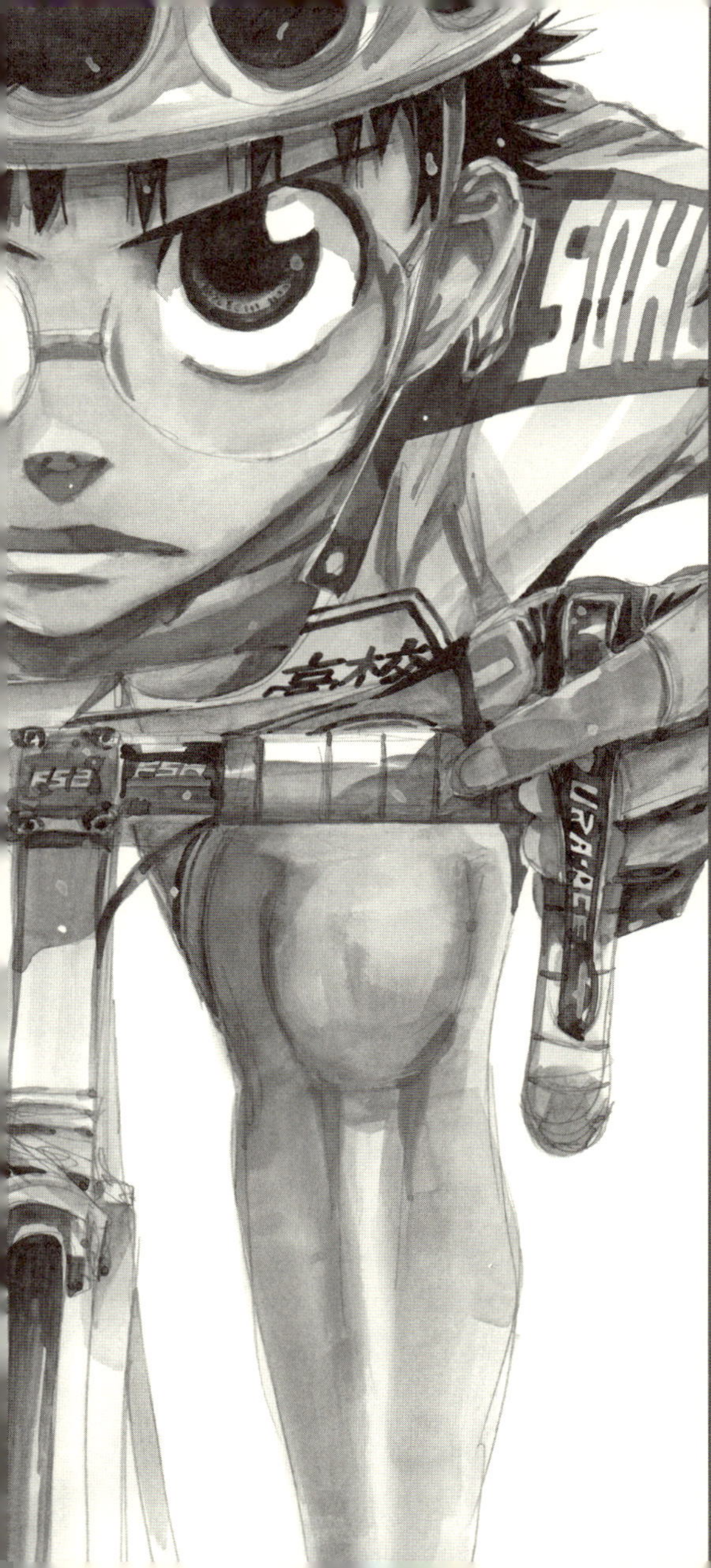

第一章　消えた田所《たどころ》

消えた田所《たどころ》

「ちょ……、待ってください、田所《たどころ》さんをおいていくんすか！」

鳴子章吉《なるこしょうきち》がつばをとばしながら巻島裕介《まきしまゆうすけ》に向かってさけんだ。

黄色いジャージの千葉県代表総北高校《ちばけんだいひょうそうほくこうこう》は、巻島―小野田坂道《おのださかみち》―鳴子章吉の三台編成《へんせい》で坂を上がっている。

鳴子は血相《けっそう》を変えて、坂道をぬかして前を走る巻島にならびかけた。

はぁ、はぁ、はぁ、はぁ、

はぁ、はぁ、はぁ、はぁ、

「ねえ、巻島さんってば！」

「のんびりチームメイト、待《ま》ってられねーんだヨ！」

巻島がはげしく言い返した。それでも鳴子は引きさがらない。

「いや……じゃ、オッサンが自力で合流《ごうりゅう》すんのを待ていうんすか」

鳴子はくいさがる。

「今日のコースはオッサンがかつやくするところがたくさんあるから、おくれとる原因《げんいん》がなんであれ、ちょっとだけ待って、そろってから全員《ぜんいん》で行ったほうがええと思います。あとから一人で追いついてくるより、効率《こうりつ》いいし、たぶん速《はや》いです」

と考えをつたえた。

ところが、

「オレは切りすてるつったんショ!!!」

と巻島はどなった。

そのあまりの迫力《はくりょく》に坂道はおどろいた。

え…………？

巻島《まきしま》センパイがどなるなんて。

本当ならいっしょに走っているはずの田所迅《じん》が、いつの間にかいないのだ。
うしろから来る気配《けはい》もない。
この三人は、ずっと前を走っている金城真護《きんじょうしんご》と今泉俊輔《いまいずみしゅんすけ》に合流《ごうりゅう》するために、上り坂をとばしている真《ま》っ最中《さいちゅう》なのに、田所は…………行方不明《ゆくえふめい》だ。

レース二日目がスタートしたばかりのチーム総北《そうほく》に緊急事態発生《きんきゅうじたいはっせい》だ！

巻島が言った。

「もう話は終わりショ。田所っちはもう来ねェ……」

言いあらそいはここまでだ、と言わんばかりだ。

でも、鳴子《なるこ》はなっとくできない。

「ハァ？　来ないってどゆことすか⁉　まだ二日目は始まったばっかすよ。レースは残り百キロ以上《いじょう》あるんすよ‼」

「鳴……子ぉ……　これはレースなんだよ。グズグズしてたら、どんなヤツもおいてかれるってことだ……」

その言葉を聞いて、坂道のひたいからひやあせがツーッと流れた。

いつもはやさしい巻島センパイが鬼《おに》のようだ。

「おそいやつを連れてったら、チーム自体がおくれちまう。オレたちは一分一秒おしんでチームで走ってんだ。チームが生き残るためにすてなきゃいけねぇコマもあんだヨ」

コマ！　田所さんのことを、コマって！

「そこまで言うんかい！」とさすがの鳴子《なるこ》もたじろいだ。

坂道は、目の前がくらっとした。


しかし、坂道は巻島《まきしま》のこの迫力《はくりょく》にピンときた。

田所さんがおくれているのはメカトラブルのせいだと思っていたけれど……そうじゃないんだ……なにか重大なアクシデントが起きているんだ……。

坂道は見えない田所を案じた。

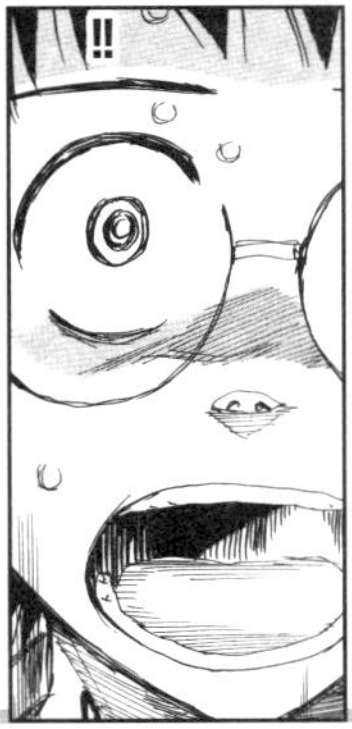

※グリーンゼッケン…前日のレースで最速《さいそく》だった選手《せんしゅ》だけがつける名誉《めいよ》の緑色のゼッケン

一人

そのころ――――。

「※グリーンゼッケンがとまってるぞ……!!」

田所はコースのまん中で自転車にまたがったまま、両足《りょうあし》をついてとまっていた。

「よし……だれも見えねェ。みんな行ったみてえだな」

田所はあせをぬぐいながら思った。

「よけいな気ィをまわす巻島《まきしま》のことだから、とちゅうで待《ま》ってるなんてバカなことをしてんじゃねーかとも思ったが、だいじょうぶ……行った‼」

ハァ　ハァ　ハァ　ハァ　ハァ　ハァ　ハァ　ハァ　ハァ
ハァ　ハァ　ハァ　ハァ　ハァ　ハァ

行ったんだな……本当に……。

……ハァ……ハァ……ハァ

自転車をこいでいないのに、息《いき》だけはあらい。
体調《たいちょう》が悪すぎる。一歩もこげない。

チームをたのんだぜ、巻島ぁ……‼
オレのハートも持っていけ……‼!

田所はゲンコツを前につき出した。

ミ――――ン　ミ――――ン

セミの音がやたら大きく聞こえた。

あたりにはだれ一人いない。

ホイールの音も、ギアをシフトする音も、息づかいも、チームメイトの声も聞こえねぇのか……なんもねェつのは、さびしいもんだな……。

フッ!!!　ばちん

田所は自分のほっぺたを自分でたたいた。

「なに弱気《よわき》になってやがる、田所迅《じん》!!

インターハイのグリーンゼッケンだぞ、オレは!!

いいんだよ、これで。オレはチームのお荷物《にもつ》になった、重荷《おもに》だ。
オレの総北《そうほく》での仕事は終わったんだ。
……一人の選手《せんしゅ》として、ただ走りゃあいいんだ」

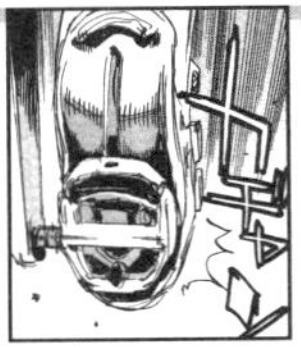

　そう、言うと、シューズをペダルの
ビンディング※にカチャンとはめた。
「オラァッ、進め。進め、オレはグリーンゼッケ
ンだ。こんなところでぐだぐだ走ってるわけには
いかねェんだ‼」
　カスン、カスンカスンカスン………

※ビンディング…シューズとペダルを固定《こてい》する器具《きぐ》

ハァ　ハァ　ハァ　ハァ　ハァ　ハァ　ハァ　ハァ　ハァ
ハァ　ハァ　ハァ　ハァ　ハァ　ハァ　ハァ　ハァ　ハァ!

ペダルをふんでみたものの、自転車を前に進めることができなかった。
体調《たいちょう》不良《ふりょう》は回復《かいふく》できていない。

「三年の、最後《さいご》のインターハイが終わっちまうだろうが!!」
くやしさのあまり、一人ほえた。

チーム

「田所さん!!!」
うしろからだれか、坂をかけ上がってくるようだ。

「手嶋《てしま》、青八木《あおやぎ》じゃないか……!!」

「田所さん!!」

走ってきたのは、総北高校自転車競技部《そうほくこうこうじてんしゃきょうぎぶ》、補欠《ほけつ》の二年生、手嶋純太《じゅんた》と青八木一《はじめ》だ。

「おう、おめぇら……」

とこたえる田所に、手嶋が心配そうに話しかける。

「なんでとまっているんですか。だ……だいじょうぶですか。体調《たいちょう》……悪いんですか。スタートがおかしかったんで、もしかしたらって気になって、坂を登ってきたんです」

田所はなにも言えなかった。

「お……小野田たちは?」

と手嶋が聞いた。

「だいぶ先を走っているはずだ」

と田所は答えた。

巻島《まきしま》がしっかり連れてってるからな、と田所は心の中で想像《そうぞう》した。そして、

「オレは……ちょっと力が入んねェで、フラついてる」

と二人につげた。

すると、手嶋がすぐさま、

「よし、青八木。田所さんのケツ、おすぞ」

とさけんだ。

「田所さん、このまま頂上《ちょうじょう》の箱根峠《はこねとうげ》まで二人でケツをおしますよ。三キロくらいだ、なんとかなる。足がちぎれるまでおすぞ‼　峠さえこえたらあとは下り。ねばればチームに追いつきますよ！」

チーム⁉

田所は先を走っているチームのメンバーに合流《ごうりゅう》することは、すっかりあきらめていた。

「チームですよ。追いついてください、田所さん‼
みんなをおねがいします‼　チーム総北《そうほく》には、
あなたの力がひつようなんです‼」
手嶋《てしま》と青八木《あおやぎ》が必死《ひっし》にうったえる。

おめえら……‼

二人の熱《あつ》い瞳《ひとみ》を見て、ひえきっていた田所の
ハートに火がくすぶり始めた。
二人は、田所の大きなシリをおし始めた。

ピタリととまっていた田所の自転車が、ふたたび動き始める。

「行くぞ、青八木ィ!!」

プァン～

そのとき、うしろから車のクラクションの音が聞こえた。審判《しんぱん》車《しゃ》だ。まどから審判が身をのり出すと、

「選手《せんしゅ》からはなれてくださーい。みじかいプッシュ※はみとめていますが、選手を助けるような長いプッシュは反則《はんそく》とみなしますすよ。ペナルティで時間《タイム》が加算《かさん》されます」

と注意した。

手嶋と青八木は、ひょっと田所の体から手をはなした。田所が、

※プッシュ…選手《せんしゅ》や自転車をべつの人がおすこと

「ふっ。ありがとよ、手嶋《てしま》、青八木《あおやぎ》。おめーらの気持ちは……もらったぜ。ちょっとばかしねぼけてたが目がさめたよ。わかった……‼　どんなにおそくなっても、チームに追いついてみせようじゃねえか‼」

そう決意《けつい》をつげた。

田所の目にやる気の光がともったのを見て、手嶋はむねが熱《あつ》くなった。

そのとき、また審判車《しんぱんしゃ》のスピーカーから声が聞こえた。

「左がわによってくださーーい！　メイン集団《しゅうだん》が通りまーーす」

……と同時に、

ゴォオオオオオォォォオォォォオ――――

レースの大集団。何十台もの自転車が田所、手嶋、青八木のすぐ横を通っていった。

※マージン…タイム差《さ》

その音と風に、田所は立ちつくした。

追いぬきざまに京都伏見《きょうとふしみ》の選手《せんしゅ》がつぶやいた。

「総北《そうほく》一人目、落ちた‼
御堂筋《みどうすじ》くんの読みどおりやわ」

田所はたくさんの自転車にぬかれ、一瞬《いっしゅん》のうちにポジションが下がっちまった……と感じた。

昨日《きのう》の一日目に山で先行して、チームのみんなであれだけまわして作ったマージン※が……なくなっちまった。

田所は、がくぜんとしてその場に立ちすくむしかなかった。

かくしごと

「そやから、コマってなんすか。田所さんをすてるって、なにを言っとるんすか、巻島《まきしま》さん！」

鳴子《なるこ》の声がキンキンとひびく。

総北《そうほく》三人チームの先頭《せんとう》を行く巻島が、「うるさい！」と一喝《いっかつ》しても、鳴子は、

「ほんまは信じとるんですよね。ほら、※一日目の小野田くんみたいに最後尾《さいこうび》から百台ぬいてくること、信じとるんでしょ？　言ってください、本心《ほんしん》を」

「るっさい、鳴子。もうしゃべんなショ!!」

そう言うと巻島は片手《かたて》をのばして、べちっと鳴子の顔をおさえた。

そして、言いはなった。

※一日目の小野田くん…小説第６巻参照

「田所が、すててけっつったんだよ！」

んん？

坂道はそれを聞いてびっくりした。
巻島さんはなにか知っている。
そのことを鳴子と坂道にかくしていたのだ。

「あのオッサンがそんなこと、言うわけないでしょ！　あの人、元気のカタマリすよ！」

と、鳴子がかみついた。巻島はイライラさをかくさずに、

「あーっ、くそ、言うなって言われてんショ！　田所はなぁ、昨日《きのう》の表彰式《ひょうしょうしき》のあとぶったおれて点滴《てんてき》うって、二時間もねてたんショ。それでまだ体の調子《ちょうし》がなおってないんショ‼」

とさけんだ。

えええっ!?

真実《しんじつ》を知った坂道はおどろいた。

「あいつの調子《ちょうし》は、最低最悪《さいていさいあく》なんだヨ!!」

それを聞いて、ようやく鳴子《なるこ》がだまった。三人はシーンとなってしまった。

あとがない

「だったら、すぐに助けに行かないといけないですね!!

すぐに」

そういう坂道の目はメラメラともえていた。

「助けに……だと？　田所っちを……？」

巻島《まきしま》は「なにを言ってるんだ」という顔をした。そして、しずかな声で言った。

「小野田よ、今ここで、ブレーキをかけて、足をとめて、田所っちを待《ま》つってのか……オイオイ、それは寝言《ねごと》か……？」

巻島はきげん悪そうにどなった。

「今、オレたちはどこを走ってる。

インターハイだ！　レースの最中《さいちゅう》だ!!

今、道の上にいるヤツら全員《ぜんいん》が一分一秒《びょう》をけずって、敵《てき》より速《はや》く行こうとペダルを回してんだ!!」

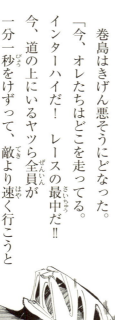

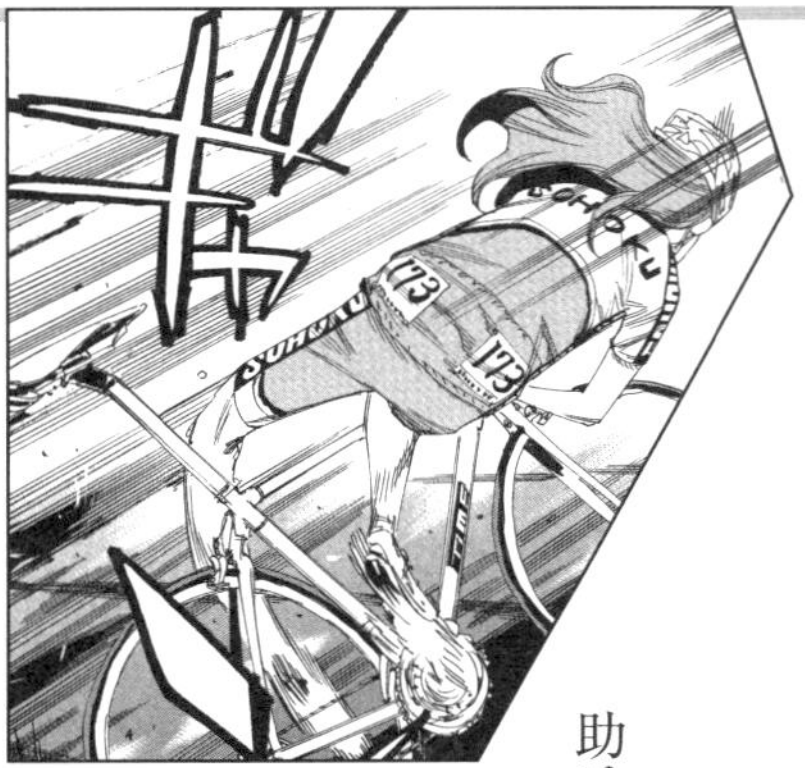

助けに行けるんだったら、オレが行ってるショ‼

巻島《まきしま》の心の中では、本心《ほんしん》がそうさけんだ。さけびながら、マシンを左右に大きくたおすスパイダークライムで坂を登っていく。その背中《せなか》にむかって、坂道は言った。

「どうしてもダメですか」

巻島はギリッと奥歯《おくば》をかみしめて、坂道をにらんだ。

「あ、あの三人で行けないんだったら、ボク一人で待《ま》ちます」

と坂道はさけんだ。

巻島は鬼《おに》の形相《ぎょうそう》で坂道をにらんだ。その迫力《はくりょく》に坂道はビクッとした。

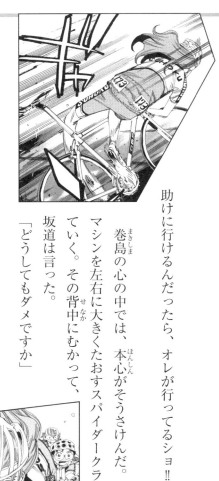

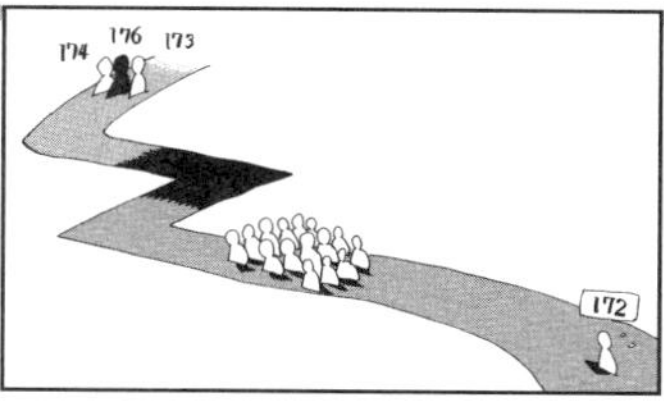

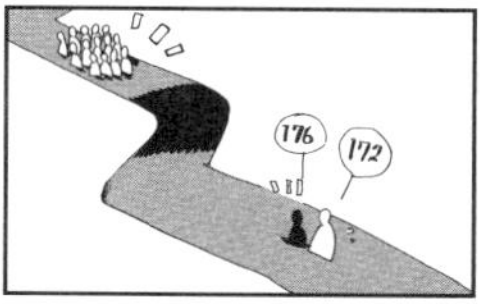

「小野田ァ!!　ロードレースはつねに自分らのポジションを守るつうのが重要《じゅうよう》なんだヨ。落ちるのはカンタンだ。だが、もどるのには、その倍《ばい》の体力と精神力《せいしんりょく》を使う。
　いいか、今、田所っちはヘタするとうしろの集団《しゅうだん》の、さらにうしろにまでポジションを落としてるっショ。おまえが助けにとまるってことは、おまえもそこまで落ちることになる。
　弱った一人を連れて、倍の体力を使って、今のオレたちのポジションまでもどれるのか、ばんかいできるのか。保証《ほしょう》は？　確証《かくしょう》はあるのか？
　今、オレたちはエースのところに向かわなきゃいけないのに、田所と小野田のメンバーを二人、一気《いっき》に失うことはできないショ……。だからダメだ」

「あ、あの……ぜったいにもどってきます」
「ダメだ」
「だけど……」
「昨日《きのう》、百人ぬきをやったから？　できる自信があるってのか？　……それは無理《むり》だ」

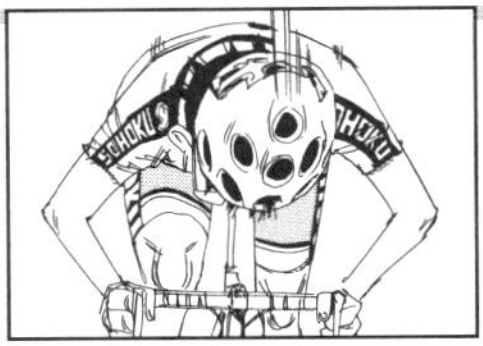

「無理《むり》……？」
「この登り坂はまもなく終わる。あとは海までの下り。そして、えんえんと続《つづ》く平坦道《へいたんみち》※。その先にクライマーであるおまえがばんかいできるような登り坂は……ねェ……!!」
巻島《まきしま》も坂道もクライマーだから、登り坂ならどんどんぬける。けれど、下り坂と平坦道ではそうはいかないことはよくわかっている。

坂道はガクンと頭を下げた。そのひょうしにあせがポタッと落ちた。そして、
「あ、あの……それでも、行かせてもらえないでしょうか……」
と言った。

これだけ言っても、まだあきらめないのか、と、巻島と鳴子《なるこ》がおどろいて坂道を見た。

※平坦道《へいたんみち》…高さが変わらないない道

救世主《きゅうせいしゅ》

「おい、グリーンゼッケンだぞ?」

「なんでこんなうしろを走ってるんだ?」


観客《かんきゃく》の声が、田所の心につきささってくる。

前日のナンバーワン・スプリンターにあたえられたグリーンゼッケンをつけた選手《せんしゅ》なら、当然《とうぜん》、レースの先頭《せんとう》あたりを進んでいるはず、とだれもが思う。なのに、メイン集団《しゅうだん》がすぎさったあとに、とぼとぼと登っているのだから、ふしぎに思われるのも無理《むり》はない。

田所はゆっくりとこぎ始めていた。のろのろと前に進んでいる。しかし、この長い登り坂、歩いたほうが速《はや》いのではないかというほどの速度《そくど》しか出ていない。

ハァ　ハァ　ハァ　ハァ　ハァ　ハァ　ハァ　ハァ　ハァ

ハァ　ハァ　ハァ　ハァ　ハァ　ハァ　ハァ　ハァ　ハァ

レースをあきらめていたオレを、手嶋《てしま》と青八木《あおやぎ》がひろってくれたっつーのに!!

オレはなにをやっているんだ。

チームのために……走るんだ!!

だから、動けよ、オレの体!!　チームに追いつくんだ。

まわれ血液《けつえき》!!　動け内臓《ないぞう》!!

十分に休んだろ!!

栄養《メシ》も食ったろ!!

おいつかねェと話になんねェーんだよ!!

なんで回復《かいふく》しねェんだよ!!

「しろよ、しろよ。しろおおおお」
ド　ドン　ドッ!!
田所は、左手で自分の太《ふと》ももにパンチした。
「大事なときにグズってんじゃねェよ!!　動けえええええ!!
オラァァああ、動けえええええ!!」

一瞬《いっしゅん》、いきおいが出て、ペダルがまわり始めた。
——かと思ったら……。

ハア　ハア
ハア
ハア　ハア　ハア　ハア
ハア　ハア
ハア

ボタ
ボタ
ボタ　ボタ

ボタ
ボタ
ボタ
ボタ

田所はまたピタリととまってしまう。
息《いき》があらいままだ。
あせがアスファルトに落ちていく。

ガァ――――

その横を、また二台のマシンがぬいていった。

「やべえ。どんどんポジションを落としてる。最下位《さいかい》になるんじゃねェだろうな……。
トップとのタイム差《さ》は今、どんくらいだ……」

あごからしたたるあせを手のこうでぬぐった。

「差《さ》はこれからどんどん、ひらいていく。

オレはおいつけるのか……金城《きんじょう》……巻島《まきしま》……」

ふいにチームメイトの顔がうかんだ。

今、ここに総北《そうほく》のジャージがいりゃあ、

どんだけ心強《こころづ》えか……。悪い……、オレはもう、

ここでダメかもしれねェ。すまねェ……。

田所はぜつぼうのふちに立たされていた。

そのとき――。

「むかえにきました、田所さん‼」

田所の目の前に、見なれた黄色いジャージがあった。

そこには坂道がすっくと立っていた。

まぼろしではない。

「ボクのうしろについて走ってください‼」

「ま……、てめェは……」

田所は信じられなかった。

「チームはどうした！　巻島《まきしま》は‼

あいつがゆるさねえだろ」

「……許可《きょか》をいただきました。
ぜったいに追いつきます」
坂道はまなじりを決して、そう言った。

そのころ、インターハイ二日目、前を行く巻島たちは箱根《はこね》峠《とうげ》の頂上《ちょうじょう》付近《ふきん》にさしかかっていた。

「千葉《ちば》ーーーっ、がんばれーーー」

「ハコガクゥーーーー」

待《ま》ちかまえていたロードレースファンが応援《おうえん》する。

「箱根学園《ハコガク》が来た。すぐあとに総北《そうほく》だ」

「箱根学園、一……二……四人……もうすぐ全員《ぜんいん》がそろうぞ」

「すげェ、さすが王者だ！」

「見ろ、千葉は、二人……しかいねェぞ」

「うわっ、本当だ。ちぎれたのか。そんなんでだいじょうぶか？」

「やっぱ、王者ハコガクについていくのは無理《むり》だったか」

観客《かんきゃく》の前を、巻島《まきしま》―鳴子《なるこ》の順《じゅん》で、黄色いジャージが通りすぎていく。

坂道、来る

「小野田、なんでてめェがここにいるんだ。集団《しゅうだん》にぬかれたのか……オレを待《ま》って……とまって!!」
「はい」
「バカヤロウ!!　なにやってんだ。せっかくとったポジションを落としてんじゃねェよ!!
もどれ、今すぐ。てめェはてめェがやったことが、どんだけバカげたことかわかってねェんだ。元気なおまえの足ならまだ間に合う。がんばって追いつけ!!　巻島たちのいる先頭《せんとう》にもどれ!!」

「ボ……ボクは田所さんを連れてもどります」

「小野田ぁ‼」

田所はほえた。

「インターハイのメンバーは六人しかいねェんだ。オレとおまえ、二人も欠《か》いてどうする。総北《そうほく》はあっとうてきに不《ふ》利《り》になる‼　もどれ。今すぐ前をむけ、ふり返らず、全力で走れ‼　おまえはチームにもどるんだ」

「ボクは……田所さんを引っぱります」

「もどれっつってんだよ、小野田ぁ‼」

「イヤ……です」

坂道が初めて先輩《せんぱい》にはむかった。

「ボクは……金城さんに全員《ぜんいん》を連れてチームに合流《ごうりゅう》しろ、と言われましたから」

今朝《けさ》のスタート前のチームオーダー。
たしかに、「過酷《かこく》だがたのむぞ」と小野田は金城《きんじょう》にこの作戦《さくせん》をつげられていた。

こいつ……こんな土壇場《どたんば》で金城のあの
たったひと言を守ろうとしてんのか……!!

巻島《まきしま》のこうかい

「本当に、小野田くんをむかえにやらせて……よかったんですか、巻島《まきしま》さん」
今や総北《そうほく》はバラバラだ。巻島と鳴子《なるこ》は、その前を行く今泉《いまいずみ》―金城に追いつこうと必死《ひっし》で走行中《そうこうちゅう》だ。

ったく、小野田!
ふつうならば、ぜったいに行かせない。だけど、あの目をされると……。

「ボクは金城さんに全員《ぜんいん》をつれて合流《ごうりゅう》しろと言われましたから」――――か。

ほんとにアイツはバカ正直だな!!

こっちがはずかしくなるくらいショ。

だけど、あの目をされると、あいつの目にかけてみたくなんだヨ!!

「行け、小野田!!　田所をつれてこい!!」
と、巻島は坂道に言った。けれども、
熱《あつ》いセリフを言ってしまった、
と少しこうかいした。

「小野田くん、ホンマにだいじょうぶですかね」

と鳴子が聞いてきた。

「だいじょうぶかって?　鳴子……その答えは『わかんねェ』だ」

そう言って、巻島はお手上げ、と言いたそうに両手《りょうて》を広げた。

「さぁて、ワイもキバリましょーかっ‼　小野田くんもメッチャがんばっとる。ワイも負《ま》けられませんから‼

巻島《まきしま》さん、うしろについてください。スピードを上げまっせ‼　こっから先は下りや」

巻島は、

「小野田よ、オレはリアリストだから夢《ゆめ》は見ねェ、けど、おめェのその目に悪い夢を見ちまったんだ……。

小野田――。

もう一回、おまえが田所を連れてもどってくるってな」

と自分の判断《はんだん》をふり返った。

巻島と鳴子《なるこ》が、箱根峠《はこねとうげ》の頂上《ちょうじょう》をこえていく。

観客《かんきゃく》が歓声《かんせい》を送った。

急《きゅう》に目の前がひらけた。
海が見える。海にむかって、
長い下り坂が始まる。

その景色《けしき》を見ながら、
「巻島さん、行きまっせ。
こっから先は静岡県《しずおかけん》!!
海沿《うみぞ》いの街《まち》、三島《みしま》まで一気《いっき》に
下る、超《ちょう》※ロングダウンヒルやで!!」
と鳴子がさけんだ。

「この下り坂で、一気に金城《きんじょう》さんたちに
追いつきましょう!!」

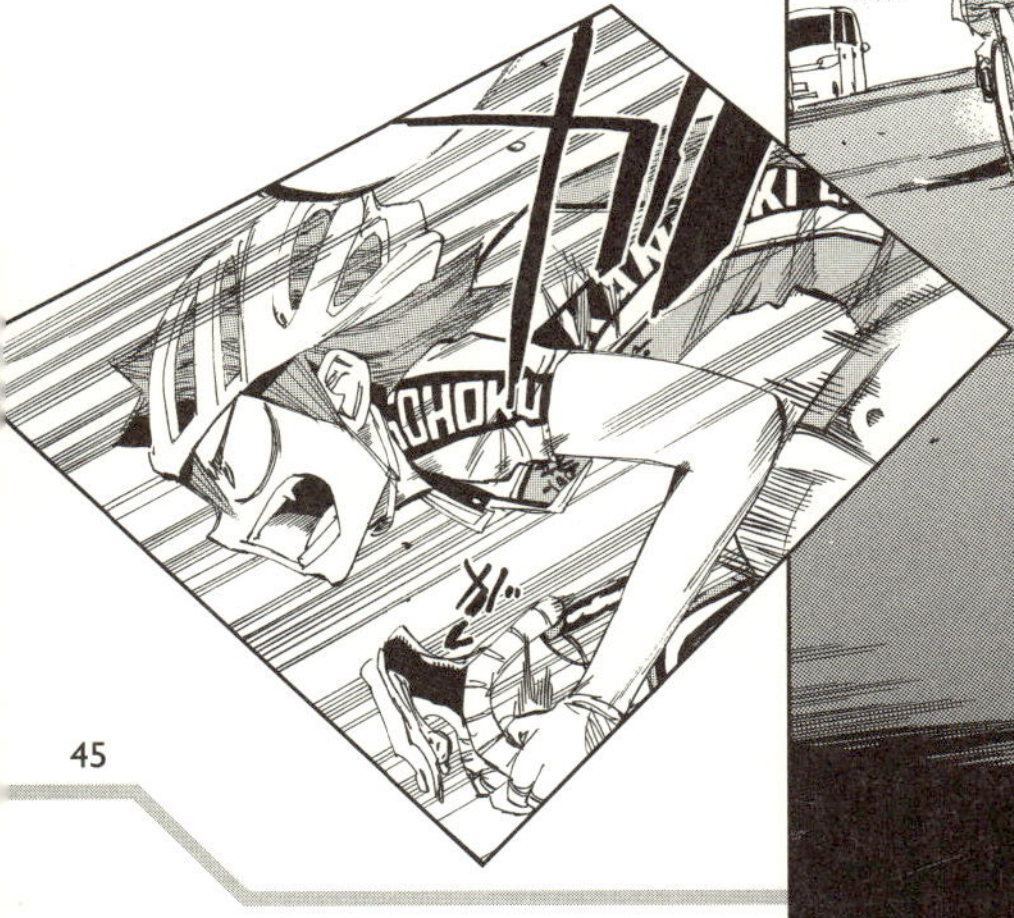

※ロングダウンヒル…長い下り坂

小さな背中《せなか》

田所は、176番のゼッケンがついた背中《せなか》を見ながらこぎ始めた。前には坂道の背中が見えている。

楽《らく》だ……登りだが、風の抵抗《ていこう》がないだけでずいぶん楽にペダルをまわせる。
こいつの……この小さな体のおかげだ。ありがてェ!!
オレは……オレはもう一度、チームのために走れるかもしれねェ!!
ひえきっていた田所の心と体に熱《ねつ》が入り始めていた。サドルの上のこどくな時間はもう終わった。今は坂道と二人だ。

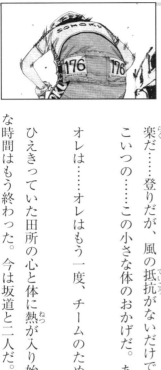

そのとき、うしろから一台のマシンが追ってきた。奈良山理学園《ならさんりがくえん》の選手《せんしゅ》だ。

お？　前に見えるのは……グリーンゼッケンじゃないか。昨日《きのう》、オレたちをさんざんコケにして走りぬいていった総北《そうほく》のスプリンター……172番が、なんでここに……。


「いいぜ、ブチぬいてやる!!

オレも奈良最速《さいそく》の灼熱《しゃくねつ》のスプリンターとおそれられた男!!

大粒健士《だいつぶたけし》、ほとけの顔も三度までだ！」

そう言うとギャンとシフトアップ。ギアを重くして、速度《そくど》を上げて田所に近づき始めた。

「田所ぉ……地に落ちたな……!!　グリーンゼッケンも昨日、はりきりすぎたか？

昨日七十九位《い》のオレにぬかれるなんてな!!」

と言うやいなや、よぉおおおしゃ!!　とさけびながら、坂道と田所をぬきさった。

「くそっ、あのヤロウ、おい、小野田!　ぬきかえせ」

田所はそう言いそうになりながら言葉をぐっとのみこんだ。

そうだ、小野田はオレの体を気づかって、このスローペースで走っているんだ……。

それを「もっと速《はや》く」なんて言えないだろう……。

田所はくやしさで奥歯《おくば》をぎりりとかみしめた。

そのとき、坂道がふり返った。

「あ。あの~~、田所さん、あの人をぬきかえしたほうがいいですか?」

坂道は、今行った奈良《なら》山理《さんり》の大粒《だいつぶ》を指差《ゆびさ》している。
「そりゃ、ぬいたほうが……そりゃいいが……オレは……今のペースでいっぱいいっぱいなんだ。どうやってぬくんだ」
「え、いや……その……だったら……あの」
モジモジとなにかを言おうとしている。

「ボクにあわせて、ヒメって言ってもらっていいですか」

田所はひっくり返りそうになった。

「ヒ!? ヒメ? はぁ!? ヒメってなんだ? いっしょに言う?」

と、坂道にたずねる。

「……それは、ですね……」

坂道は心臓《しんぞう》がどきどきしたが、思いきってふり返り、言った。

「超絶《ちょうぜつ》イチオシアニメ『ラブ★ヒメ』のオープニングテーマ、『恋《こい》のヒメヒメぺったんこ』です!!」

アニメ……!?

なにィイ!?　なぜこいつ、キラキラしてんだ!!

田所はふいにまぶしさを感じた。坂道の表情《ひょうじょう》がかがやいているではないか。

その光の中から、坂道は言った。

「ボクがその歌《うた》をうたいますので、あわせて、ヒメって言ってもらっていいですか!!」

「ぜってーー、いやだ!!」

「あ……ダメ……ですか。
えーと、ヒメって小声でもいいんですけど……」
田所はわけがわからず、仁王《におう》のような顔でかたまってしまった。
それを見て坂道はしどろもどろになった。

「なんでうたわなきゃいけないんだよって……か、顔ですね。いや、それはですね。えーと、なんというかボクにも実《じつ》はよくわからないのですけど、追いぬくときにうたう……と……ぐわ～って……力が……あ……」

田所はおこった顔になっていた。

坂道はなんとかわかってもらおうと必死《ひっし》に説明《せつめい》した。

「えっと、そう、これはリズムなんです。……て今泉《いまいずみ》くんも言ってましたし、登りはリズムだ……と……て」

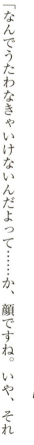

田所の頭の中には大きなはてなマークがうかんでいた。
こいつ……、言ってる意味が全然《ぜんぜん》わかんねぇ……。
なんだ!?　歌《うた》ァ?　オレにうたえって?
それでどうなる……。
けど、こいつはたしかに「追いぬく」っつった……、
だから、うたえーーーーと!!

「くそっ!!」

背水《はいすい》の陣《じん》

田所は大声を出して、あせをふいた。
その大声に、坂道はひるんだ。
「す、すいません。わけのわかんないこと、言ってすいません。

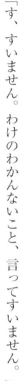

あの……わすれてください。やっぱり、今のペースのままでいきましょう」

そのときだった。

「ヒーーー〜〜〜　ヒメ」

てれながら、田所はヒメと言った。

「ヒ……メ……!!

くそ、これでいいのか、ヒメ!!」

坂道はおどろいた。本当に田所が
言ってくれたのだ。

「田所さん……!!」

坂道はみるみるえがおになった。

「おい、うたえよ、小野田。やってやろうじゃねェか……オレはチームのために走りてぇんだ。チームのために追いつかなきゃならねェ。そのために目の前の敵《てき》をブチぬく方法《ほうほう》があるっつんなら、アニソン上等《じょうとう》！　うたってやろうじゃねーか!!」

「はい!!　では行きましょう!!」

坂道はその小さな体を自転車の上で前傾姿勢《ぜんけいしせい》にした。

まうしろには大きな体を前傾姿勢にした田所がつけた。

坂道がうたい始めた。

「おーきく♪　なあれ　魔法《まほう》かけても♫　はいっ！」

坂道が「はいっ！」と言ったので、田所は、

「お……おおきくなあれ　ま……魔法かけても」

とつられてうたった。

つぎに坂道が、
「ヒメはヒメなの……」とうたうと

クソォおおおお、なんだこれは！
田所もやけくそでうたった。

ぐるぐるぐるぐるぐる

坂道のケイデンス※が速《はや》くなり始めた。
それにつられて、田所もペダルをふむ。

ぐるぐるぐるぐるぐる

※ケイデンス…ペダルの回転数《かいてんすう》

二人の息《いき》がぴったりとあってきた。

ガァァァァァァァァ――――――ッ

即席《そくせき》で結成《けっせい》されたアニソンコンビ、いや、総北《そうほく》の172番と176番のコンビは、自転車の速度《そくど》を上げ始めた。

ぬき返す

田所と坂道をぬき去った奈良山理《ならさんり》の大粒《だいつぶ》は、ごきげんで坂をこいでいた。

「田所をしとめたのは、うれしかったな。おかげで調子《ちょうし》が出てきたぜ、このまま集団《しゅうだん》に追いつけば、オレにもチャンスがある!! オレは奈良の大粒!! ほとけの顔も三度までだーー!!」

と、そこへ、
「ヒーメヒメヒメーー!!」
とうしろから大きな歌声《うたごえ》が聞こえてきて、ズバッと黄色いジャージの二台にぬかれた。
「なんだと、鼻歌《はなうた》まじりでぬかれたァァ!!!
グリーンゼッケン田所、おまえ、調子が悪かったんじゃなかったのかよォォォ!」
さっきまでの弱々《よわよわ》しい田所とはちがう。
強い田所にもどりかけている。
田所は田所で、大粒をぬいた自分におどろいていた。

ぬいた‼
こいつの言う「ヒメ」ってやつで……ぬきかえした。

少しだけ、やれるかもしれないという自信がもどってきた。しかし、坂道の小さな背中《せなか》を見ながら、頭の中ははてなマークがうかんでいる。
どうして、力が出たのだろう、と。

なんだ⁉
こいつ……なんだ⁉
「ヒメ」ってなんだ⁉

目の前の坂道の歌声《うたごえ》が聞こえてくる。

こ、こいつ……、

いともカンタンに、オレをつれて、
本当に大粒《だいつぶ》をぬき返したぞ‼

「田所さん、見えました。このまま、あの前の二人も
ぬきましょう‼」
「オゥ‼」

アニソンをうたう声が、ひときわ大きくなった。

「ヒーメ　ヒメヒメ　はい！」
「はい！」と坂道が合図《あいず》をくれたので、
「ヒーメ　ヒメヒメ‼」
田所はやけっぱちでうたった。

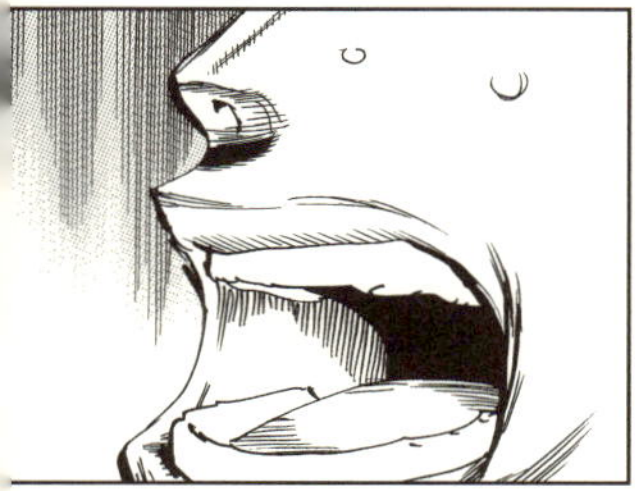

坂道のケイデンスがまた上がった。

ヒメッ‼

ああ、オレは、なんでヒメヒメと言わなきゃなんねェんだ。
でも、今は……こいつのこの小さな背中《せなか》、信じるしかねェ‼

さっきぬかれた二人が見えた。

「前に見えてる二人、どうする？」

と田所が坂道に聞くと、

「ぬきます！」

と坂道が宣言《せんげん》した。

「ヒーメ　ヒメヒメ　はい！」

「ヒーメ　ヒメヒメ‼」

ギャン

ギアチェンジ。

ところがこの選手《せんしゅ》はカンタンにはぬかせてくれない。

「どうする、小野田！　こいつはけっこう登れるヤツだ」

田所はあせった。すると坂道がアイデアを出した。

「田所さん、サビのところ、二回ループでいきましょう!!」

「!?　サビ？」

「おおきくなぁれ魔《ま》法《ほう》かけても、のところからです!!」

「はぁ？　ああ……え？　……歌《うた》の話か！」

小野田は……いったい……なにを考えているんだ。

オレにはわからない……けれど、まよっているひまは……ねェ。

こいつと行くしか……ない。

「田所さん、聞いていますか？
そして、二回目のヒメの一拍《いっぱく》手前《てまえ》で、※ツークリックしてギアを上げてください。※ダンシングします!!」

サビのところで、ダンシング……？

田所は坂道がなにを言っているのか、わからなかった。
返事がないのでふり返った坂道は、今まで見たことがないような気迫《きはく》ある目をしていた。

オイオイ……。
聞いたこともねェ、なんつうデタラメな指示《しじ》だよ、だが……。

「いけますか、田所さん」
「いってやろうじゃねーか」

※ツークリック…レバー式のスイッチを２回カチッカチッとすること　※ダンシング…立ちこぎ

「はいっ、せーの、さんはいっ」

ヒメはヒメなの　ヒメなのだ
おおきくなぁれ　魔法《まほう》かけても
ヒメはヒメなの　ヒメなの♪

「ここだ！」

パチンパチン、ツークリックでギアアップ。
バチンとギアがかみあった。今だ、ダンシング！

歌《うた》のサビでぐんといきおいをつけた黄色いジャージが二台、前後につながったまま、どんどんと獲物《えもの》をぬきさっていく。

ぬいた……、

前にいた二人までもぬいたぞ……、
なんかわからんけど、ぬいた。

「小野田!!　前には集団《しゅうだん》だ……
その先には……巻島《まきしま》!!
行くぞ、小野田!!」

「はい!!」

歌《うた》のおかげで

田所はこれほどまでに坂道をたのもしく思ったことはなかった。
いつのまにか田所にはやる気がみなぎってきた。

行けるかもしれねェ……チームにもう一度、追いつくかもしれねェ、
待っててくれ、巻島！
……金城《きんじょう》、今泉《いまいずみ》、鳴子《なるこ》……いや、鳴子はどうでもいいわ。

ん？　どうでもいい？
ふふふ……そんなことを思うなんて、あきらかにオレの心によゆうが生まれている。
オレは少しずつ、いつもの自分にもどっているということなのか……。
このヘンな歌《うた》のおかげだ!!
田所の目に光がともってきた。

そして、考えた。

前を行く坂道は高速走行《こうそくそうこう》で引っぱってくれている。そして自分もついていけている。
レース？　レース展開《てんかい》は今どうなっているんだ？

今……先頭《せんとう》を行くのは昨日《きのう》の優勝者《ゆうしょうしゃ》、エースナンバーの三人。
うちの金城《きんじょう》と、箱根学園《はこねがくえん》の福富《ふくとみ》と、京都伏見《きょうとふしみ》の御堂筋《みどうすじ》だ。
スタートしてからどれくらい時間がたった？

あとからスタートした今泉《いまいずみ》と荒北《あらきた》は、先頭に追いついているころだ。
残りのメンバーも追いついてそろったか。
まだ……か、いや……。
箱根学園《ハコガク》はすでに追いついている……はず……だ……。

第二章　御堂筋《みどうすじ》劇場《げきじょう》

箱根学園合体完了《はこねがくえんがったいかんりょう》

二日目のレースがスタートして、はや一時間が経過《けいか》した。

インターハイといえば、毎年《まいとし》、最高峰《さいこうほう》のレースが見られる大レースなので、多くの観客《かんきゃく》が沿道《えんどう》にかけつける。それにしても、今年は観客が多い。「一日目、三校同時《どうじ》一位《い》」というインターハイ史上初《しじょうはつ》のできごとがおきて、熱《あつ》いバトルを見のがしたくないレースファンがたくさん集まっているのだ。

「来たぞ、先頭《せんとう》！」

「どうなっている！」

朝からコースわきに陣取《じんど》っていたファンが色めきたった。

一陣《いちじん》の風のように、先頭集団《しゅうだん》がやって来たのだ。

シャ——ッ、シャ——ッ、シャ——ッ、シャ——ッ、シャ——ッ、シャ——ッ、

「ハコガクだ！」

「ハコガク‼　すげぇ強い‼」

トップを走るのは、箱根学園の青いジャージ。福富寿一《ふくとみじゅいち》にほかのメンバー五人がすでに追いついている。

「早くも全員《ぜんいん》がそろってるぞーーー」

順位《じゅんい》は箱根学園《はこねがくえん》の六台、京都伏見《きょうとふしみ》の御堂筋翔《みどうすじあきら》の一台、そのななめうしろに総北《そうほく》の今泉《いまいずみ》と金城《きんじょう》。

この九台が先頭集団《せんとうしゅうだん》を形成《けいせい》している。

シャーッ、シャーッ、シャーッ、
シャーッ、シャーッ、シャーッ、

今泉は舌打《したう》ちした。
くっ……箱根学園がそろった!
うちは……もう少しかかりそうだな。
作戦通《さくせんどお》りならば、坂道を先頭に、巻島《まきしま》、鳴子《なるこ》、田所の四台が追いついてくるはずなのだ。しかし、まだだ。

今泉はたった六人のメンバーがそろうことがこんなにたいへんで、敵《てき》のメンバーが全員そろうことでこれほどおびやかされるとは、とレースの深さを感じていた。

今泉は箱根学園から無言《むごん》のプレッシャーを感じながら、このあとのレース展開《てんかい》を想像《そうぞう》した。

もし、全員でスピードを上げ始めたら、どうなるんだろう……?

ロードレースは数のスポーツだ。先頭をローテーションさせながらチームを引っぱるという数のスポーツなのだ。だから、六人で引くのと、二人で引くのとでは、速《はや》さもつかれ方も全然《ぜんぜん》ちがう。

今は、箱根学園六対《たい》総北高校二だ……。

たのむ！　動くなよ、箱根学園！

そして、早く来てくれ、総北のみんな……!!

挑発《ちょうはつ》

そのとき、

「バラけとったりしてなァ、おたくのチーム」

と急《きゅう》に耳元《みみもと》で声がしたから、今泉《いまいずみ》はヒィッ
とびっくりした。

御堂筋《みどうすじ》が自転車をよせてきて、真横でささやいたのだ。

「なんだ御堂筋、急に話しかけるな」

と今泉はつっぱねるように声を出した。

御堂筋はニヤニヤしながら話しかけてきた。
「そろうかなァーーー!?」
「なんだ……どういう意味だ」

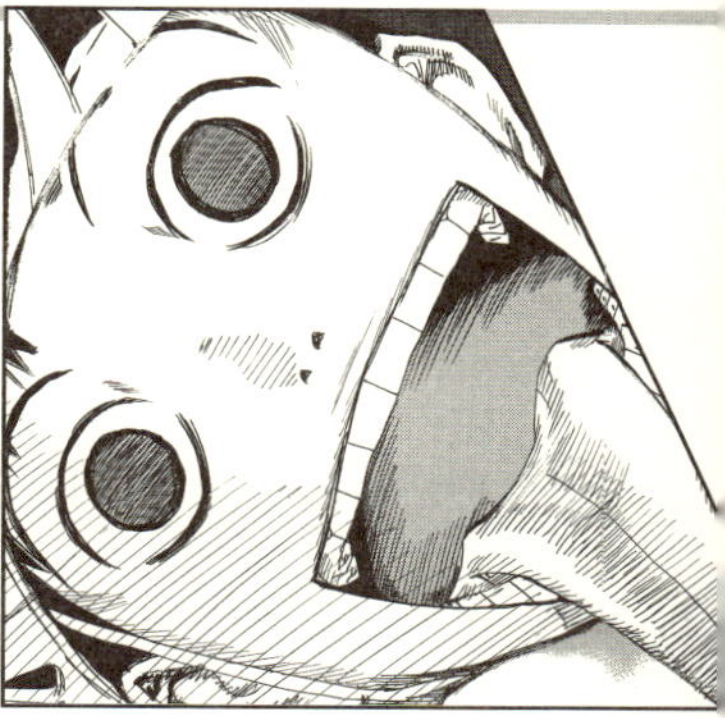

「いやいや、あくまでボクの予想《よそう》なんやけれども、昨日《きのう》、ちょっとハリキリすぎたとこあるやんか？　せやから、総北《そうほく》は早々《そうそう》にバラけて、二日目序盤《じょばん》であえなくしずむんちゃうかなーーーって？」

そして、

「おっと」

と言いながら身をかがめて、今泉がなぐるのをかわすようなポーズをした。

「あれ？　どしたん？　うで、ふらんのん？　※開会式《かいかいしき》のときみたいにブァーってやらんの？」

昨日の開会式のとき、御堂筋の言葉に頭にきた今泉は、御堂筋になぐりかかった。そのことをからかっているのだ。今泉はイライラした。

※開会式のとき…小説第５巻参照

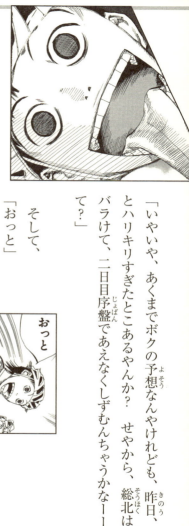

しかし、気持ちをおしころして、
「オレは、チームのために走ることに決めたんだ」
としずかに言った。そして、きっぱり言った。
「おまえのつまらない言葉あそびにはつきあわない」

それを聞いた御堂筋《みどうすじ》は両手《りょうて》をハンドルからはなして、
汽車《きしゃ》ポッポのポーズをした。そして、
「キッモォーーーーーーーーーッ。キモ‼　キモッ‼
キモーッ」
うでを前後《ぜんご》に大げさにふりながら、さけびまくった。
「プーーププ。たまらん……今の目つき。たまらんわ、

言葉あそびやて。うまいこと言ったんかな？　ひょっとして⁉　カッコイイこと言うたなとホメるとこ⁉」

「好きにしろ」

今泉《いまいずみ》が御堂筋のしゃべりをさえぎると、御堂筋は今泉をにらんだ。

「キモイ。キモすぎて頭が割れそうやわ」

と御堂筋が言うと、今泉は、

「じゃあ、おまえはなんだ。二日目はすてたのか？　箱根学園《はこねがくえん》は六人がそろった。オレたちもまもなくそろう。それに向かって、たった一人で闘《たたか》うつもりか？」

と言い返した。御堂筋は、

「いや、だから、そろわへんて」

と、口をひんまげて返した。

イラついた今泉《いまいずみ》はついに声をあらげた。

「オレは今、おまえの無計画《むけいかく》さについて話をしたんだ。集団《しゅうだん》をコントロールするために京《きょう》都伏見《とふしみ》はチームメンバーをうしろにおいてきてる。おまえはたった一人でオレたちに勝てるのか？　と言ってるんだ」

「は？」

御堂筋《みどうすじ》は目をまるくした。それから目を細くして言った。

「そりゃ、こっちが言いたいわ。そんなんやから、いつまでたっても三流なんよ。せっかくボクが親切《しんせつ》なアドバイスをしとるのに」

「おまえは……‼」

と今泉がかみつこうとしたときに、バンと背中《せなか》をたたかれた。

「今泉！」

金城《きんじょう》だった。
「箱根学園《ハコガク》が動くぞ」
今泉がおそれていた瞬間《しゅんかん》がきた。箱根学園《はこねがくえん》が息《いき》を整《ととの》えて、六台が全車《ぜんしゃ》同時にスパートをかましてきたのだ。
くっ‼　まずい‼　うちはまだ……そろってない。

今泉がそう思ったときに沿道《えんどう》から声がとんだ。
「うしろから四台、来たぞ！」
「まにあった‼　みんながやってきた！　これで合流《ごうりゅう》してスパートが発動《はつどう》できる」
と今泉は思った。そして、

「じゃあな御堂筋《みどうすじ》、あとからゆっくり来い‼」

と言って、今泉《いまいずみ》は前傾姿勢《ぜんけいしせい》でスタンバイした。

総北《そうほく》の四人が追いついたと思ったのだ。

「いや、ちがう。五人だ」

とまた沿道《えんどう》から声がした。

「京《きょう》……伏《ふし》……京都伏見《きょうとふしみ》が追いついてきた‼　集団《しゅうだん》からエースのために上がってきたんだ！」

ふり返った今泉の目に入ったのは、むらさきのジャージ。
うちじゃない……京伏……⁉
ってことは、どうした総北は……一体《いったい》⁉
車輪《しゃりん》が回る音がうしろからどんどん
大きくなって、やがて、京都伏見の

六台がきれいにそろうのがスローモーションのように見えた。

御堂筋が「ごくろうやったなザク」とチームメイトをねぎらっているのが見える。

むらさきのジャージの先頭《せんとう》を引いてきた水田《みずた》が御堂筋に報告《ほうこく》をした。

「172番と176番は集団のうしろに落ちたで、御堂筋くん」

その言葉で今泉にはショックが走った――――。

京伏列車《きょうふしれっしゃ》

「さ……て、そろったな……!!　さあて、合体完了《がったいかんりょう》やで」

と御堂筋《みどうすじ》が今泉《いまいずみ》に聞こえるように言った。
箱根学園《はこねがくえん》に続《つづ》いて、京伏《きょうふし》もチーム全員《ぜんいん》がそろったのだ。

ど、どうした！　鳴子《なるこ》‼　小野田‼
巻島《まきしま》さん‼　田所さん‼

どこを走っているんだ!!!

今泉はおそるおそるうしろをふり返ってみた。でも、黄色いジャージは見えない。

御堂筋は今泉の真横にやってきて、なめまわすように今泉の顔を見ると、その心をみすかしたかのように、
「アツイ友情《ゆうじょう》やね」
とイヤミったらしくわらった。そして、

「けど来《こ》んねぇ。天気がええから、とちゅうでピクニックでもしとるんかね。さっき言うてたね、弱泉《よわいずみ》くん、一人でどうやって闘《たたか》うの？　箱根学園《ハコガク》が六人そろったのに一人でどうするのって？　その言葉、そのまま返そうか？　ププププ」

御堂筋はしばいがかった声色《こわいろ》で今泉をバカにした。

今泉は返す言葉がなかった。

六人そろった箱根学園と、同じく六人そろった京都伏見《きょうとふしみ》。

まだ……そろわない総北《そうほく》。

御堂筋は楽しそうに、しつこくかたりかけてくる。

「ボクは考えたよ。箱根学園《ハコガク》が動き出すタイミングを。

仲間《なかま》を集団《しゅうだん》から切りはなすタイミングを。追いつくタイミングと地形と時間とペースと天《てん》候《こう》を‼　数の優位《ゆうい》は力の優位。見てみ、六対六対《たい》二やで。総北《そうほく》はハコガクと闘《たたか》えるレベルやないな。このままずるずる落ちて、集団にのみこまれるな……ざんねんやけどな‼」

今泉《いまいずみ》はくやしさに奥歯《おくば》をかみしめた。

「そや、ええことを考えた！　なんならボクらの京伏列車《きょうふしれっしゃ》にのっていくか？　チームをこえた協力は、ロードレースではよくある話やん」

御堂筋《みどうすじ》は、「うしろへどうぞ」というように手で合図《あいず》した。今泉は、たてに六台きれいにならんだむらさき色の列《れつ》に目をやった。それは六両《りょう》編成《へんせい》のよくみがかれた特急列車《とっきゅう》に見えた。

「三流や。ププププ。ほんま弱泉《よわいずみ》くんは三流やな。ほんまにのせると思たの？　信じたん？　ボクのこと信じてくれたからチラっと見た。うしろ、チラッと見たわ。ププ、ププ、そんなことするわけないやろ、弱……泉くん」

御堂筋は歯をカチーンとならした。

そして、スーッと前にこぎ出していった。

「〝チームのために走る〟んやったっけ？　キモッ、キモッ、キモッ、キモッ、キモォ〜。悪いけど、ボク、初めから総北は敵《てき》やないと思っとったよ？」

と、ふり返り、すてぜりふをはなった。御堂筋のすがたが小さくなっていくのが見える。

「待てよ！」

今泉の声はとどかない。

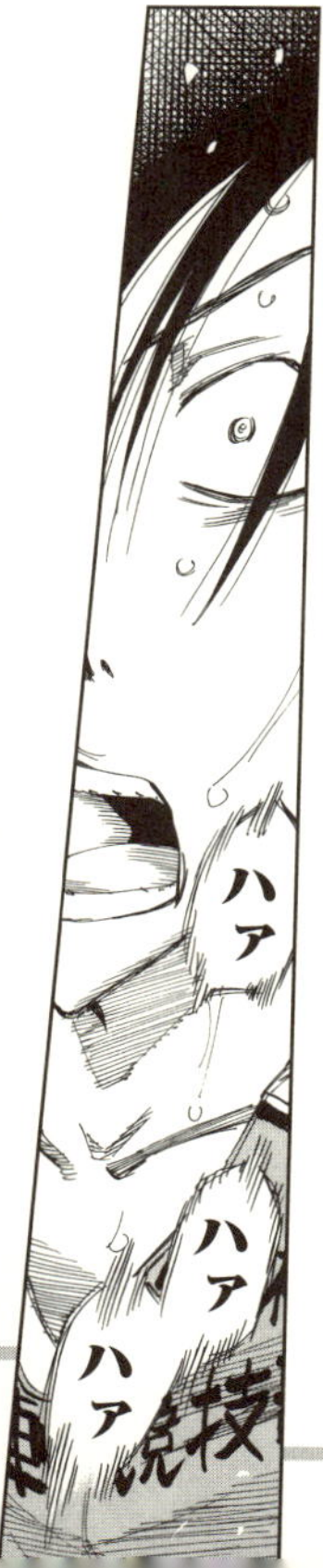

御堂筋《みどうすじ》は、チームに指令《しれい》を出した。
「作戦《さくせん》フェイズ2完了《かんりょう》。フェイズ3に移行《いこう》する。加速《かそく》や。先行《せんこう》する箱根学園《はこねがくえん》に二分以内《いない》に到達《とうたつ》!!　加速や!!　オールグリーン!!　ザク、出ろォ!!!」

それを聞いて、京伏列車《きょうふしれっしゃ》の全車両《ぜんしゃりょう》が同時に加速した。

ガアアアアアアアアアアアアアアアアアアアアア

黄色いジャージの二台は一瞬《いっしゅん》でおいていかれた。
あああ！　なにもできずに見送るしかなかった……。
オレは……三流……初めから御堂筋の敵《てき》じゃなかったんだ。

今泉は口の中がかわききって、口をぱくぱくした。
やがて、くやしさのあまり、下くちびるをかみしめていた。

箱学《ハコガク》 VS 京伏《きょうふし》

京都伏見《きょうとふしみ》は、御堂筋の作戦《さくせん》通り、二分ぴったりで箱根学園に追いついた。
御堂筋は、箱根学園の青いジャージの真横にマシンをよせると福富《ふくとみ》にいきようようとこう言った。

「ハコガク、ブッつぶしまーーーす」

さっきのさっきまでトップを独走《どくそう》していた箱根学園《はこねがくえん》はついにならばれた。

箱根学園主将《しゅしょう》の福富《ふくとみ》はぴたりとならんだ御堂筋《みどうすじ》を横目でチラリと見やって、

「意外《いがい》だったな。初めにオレたちに追いついたチームが京伏《きょうふし》とは」

御堂筋は、

「勝負《しょうぶ》は道の上でしろ、しろっ、しろっ、自転車のりなら……」

と、昨日《きのう》のスタート前に福富が御堂筋をたしなめたのをマネした。これは、昨日の仕返《しかえ》しだ。福富は眉間《みけん》にしわをよせて、だまって御堂筋をにらんだ。

「ハコガク、トゥブゥシマァァァス、今から」

御堂筋は福富の顔に向かって、しばいがかった口調《くちょう》で言った。

新開隼人《しんかいはやと》、東堂尽八《とうどうじんぱち》、荒北靖友《あらきたやすとも》、福富寿一《じゅいち》、真波山岳《まなみさんがく》、泉田《いずみだ》塔一郎《とういちろう》……六人の箱根学園のメンバーは一瞬《いっしゅん》、横目で御堂筋を

見たが、たんたんとペダルをふんでいる。
すると、御堂筋は平然《へいぜん》と言ってのけた。
「ほなまず、この平坦道《へいたんみち》の先にある、二日目の※ファースト・スプリント・リザルト・ライン。それをボクがとって証明《しょうめい》しよか、どっちが本物の王者かを……!!」

ふたたび挑発《ちょうはつ》

そう言うと、ニヤリとわらい長い舌《した》をベロリと出した。

「ええ考えやろ。プープププ。総北《そうほく》はハリキリすぎて、早々《そうそう》に崩壊《ほうかい》したからなァ……ホォウカイ……さて、だれやろうね、今日の二日目のグリーンゼッケンを手にするんは？」

※ファースト・スプリント・リザルト・ライン…その日のレースの第一区間を計測《けいそく》するライン。一番早く通過《つうか》した選手《せんしゅ》は、翌日《よくじつ》に名誉《めいよ》のグリーンゼッケンをつけて走る

それを聞いてたまらず、

「アブ!!」

という声とともに箱根学園《はこねがくえん》の一台が前に出た。

首までしめていたジャージのジッパーをゆっくりとおろすと、きたえあげたむねの筋肉《きんにく》を見せつけながら、御堂筋《みどうすじ》に言った。

「御堂筋くん、だったね。敵《てき》にたいして敬意《けいい》をはらわない、そのたいどはよくないね!!」

「だれ？　このキンニクマツゲくん」

と、御堂筋はバカにするように言い返した。

「ボクは箱根学園のスプリンター、泉田塔一郎《いずみだとういちろう》。京都伏見《きょうとふしみ》は最速《さいそく》スプリンターを出すがいい。それさえかなたにほうむりさって、ボクが圧倒的勝利《あっとうてきしょうり》をおさめてやろう!!」

と泉田は言った。

「あーーーーーーーキミね。昨日《きのう》のグリーンゼッケンをあの総北《そうほく》の172番と闘《たたか》ったやつや。あのよわっヨワの‼　どうりでキミも強そうじゃない」

その声に泉田はカチンときた。

「だれでもぶじょくしますね、あなた。かれは、田所さんは、強かった‼　信念《しんねん》をつらぬいて、強い意志《いし》と肉体《にくたい》でグリーンゼッケンをかくとくしたんです。かれは強いスプリンターだ‼」

「でも、落ちた。今、おらんやん」
と、御堂筋はピシャリと言い返した。そして、
「一回勝てばいいだけなら、それはキセキちゃうの？　ずるずる落ちたら意味ないやん。それは弱いいうんちゃうの⁉　まァわかるで。自分がまけた相手が弱いとなったら、自分も弱いいうことになるからなァ、プライドがきずつくもんなァ、プププ。せやから……」

そこで、声を大きくして、箱根学園《はこねがくえん》のメンバーを見回しながら言った。

「せやから、ハコガクのみなさんもこう言いたいんやろ。〝総北《そうほく》は強かった〟。でも、ザァァンネェェン、あいつら一発屋《いっぱつや》やで!?」

御堂筋《みどうすじ》の悪口《わるぐち》攻勢《こうせい》にがまんができなくなったのか、泉田《いずみだ》がさえぎった。

「口上《こうじょう》はいい!! スプリント勝負《しょうぶ》で、それをハッキリさせましょう。さあ、どっちが強いか!! さぁアブ!! 京都伏見《きょうとふしみ》もスプリンターを出すがいい!!」

いくよ、アンディ!! フランク!!
泉田が自分のむねの筋肉《きんにく》にかたりかけた。
かれは戦闘《せんとう》モードに入るとき、ジャージのジッパーがあけはなたれて、むねの筋肉がモリモリともりあがる。右の胸筋《きょうきん》がアンディ、左の胸筋がフランク、かれはきたえあげた筋肉に愛称《あいしょう》をつけているのだ。

さあ来い、どいつが来てもボクはまけないッ‼

昨日《きのう》、取れなかったグリーンゼッケンを今日は取る！

泉田はグリーンゼッケンがほしかった。一日目は総北の田所にまけて取れなかったが、
二日目の今日は大チャンスなのだ。

そこで、御堂筋が水田《みずた》をよんだ。でも、作戦《さくせん》をつげただけだ。

「水田くん、フェイズ４のまま巡航《じゅんこう》でたのむわ。ボク、ちょっときばらしに走ってくるわ」と言い、自らデローザ※の自転車でスッと前に出た。サドルを不自然《ふしぜん》に高く改造《かいぞう》した異様なフォルムだ。

箱根学園のメンバーたちはおどろいた。スプリント専用選手《せんようせんしゅ》が出てくるものだとばかり思っていたのに、予想《よそう》ははずれた。御堂筋だ。

※デローザ…イタリアの伝統的《でんとうてき》自転車メーカー

「ほなァ、いこか」

と御堂筋《みどうすじ》は、泉田《いずみだ》にわらいかけた。

「どっちが強いか、これならわかりやすいやろ‼」


な、なんだって！

アンディ、フランク！

びくん、びくん、と泉田の左右のむねの筋肉《きんにく》が勝手《かって》に反応《はんのう》した。


御堂筋はいつでも来いとばかり、泉田の真横につけて、ニタリと泉田を見た。


なんだ、こいつの戦闘態勢《せんとうたいせい》に入ってからの……威圧感《いあつかん》は……。

泉田はゾッとして反射的《はんしゃてき》にジャージのジッパーをあげた。


泉田は御堂筋のその威圧感の前に、戦意喪失《せんいそうしつ》しそうだった。

バキューン

あわてている泉田の肩《かた》をだれかがたたいた。

「落ち着けよ、泉田。熱《あつ》くなりすぎだ」

その声の主《ぬし》は新開《しんかい》だった。

「のせられてるぞ、おまえ。そんな感情《かんじょう》で走りすぎるとペースがぐちゃぐちゃになっちまう。ほら、食《く》えよ」

と、新開は泉田に補給食《ほきゅうしょく》をわたした。

レースの最中《さいちゅう》にカロリーを補給《ほきゅう》するためのスナックだ。

新開はゆっくりと御堂筋をふり返り、おだやかな声で言った。

「御堂筋くん。うちの泉田は熱くなりやすい。ちょっとさますよ」

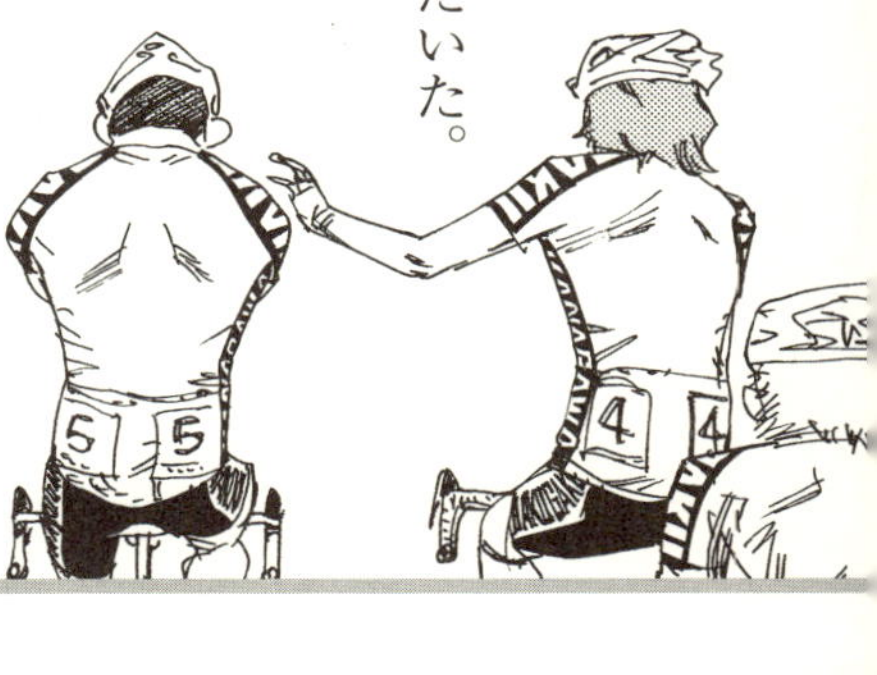

「べつにエエけど?」

御堂筋《みどうすじ》は、だれだこいつ? という表情《ひょうじょう》で新開《しんかい》を見た。
※サーヴェロの黒い自転車にまたがっている。このマシンは空力特性《くうりきとくせい》※が高そうで、いかにもスプリンターのマシンという感じだ。

「まァ、かわりにオレが走るよ。
それならもんくないだろ。
オレは新開。ゼッケン4。
箱根学園《はこねがくえん》のエーススプリンターだ」
新開はピストルを御堂筋に向けるポーズをして、「バキューン」と小さな声で言った。

隊列《たいれつ》のうしろから、そわそわした気持ちでこのやりとりを見ていた泉田《いずみだ》は、新開さんのバキュンポーズが出た！　かならずしとめるって合図《あいず》だ、とこうふんした。

御堂筋は長らく新開を見つめていたが、ようやく声を出した。

「おもろい……ほな、いこか‼」

箱根学園《はこねがくえん》4番

その声がスタートの合図となり、御堂筋と新開はダッシュし、チームからぬけ出した。

一騎《いっき》うちをやろうというのだ。

御堂筋が、新開に話しかける。

「『ハコガク』『4番』『エーススプリンター』……ね。ププ、ごめん正直ボクそういうカタガキには興味《きょうみ》ないわ‼」

※サーヴェロ…カナダの自転車メーカー。直線《ちょくせん》に強い　空力特性《くうりきとくせい》…風をみかたにつける力

「ああ、オレもひけらかすつもりはないよ、御堂筋《みどうすじ》くん」
たがいに新たな敵《てき》のようすをさぐりながら、それでも、どんどん加速《かそく》させていく。
はなれていく新開《しんかい》の背中《せなか》を見送りながら、泉田《いずみだ》がつぶやいた。
「箱根学園《はこねがくえん》のゼッケン4は特別《とくべつ》なんだ。スプリンター全員《ぜんいん》のあこがれの番号なんだ。箱根学園のゼッケンの順番《じゅんばん》には意味があって、

1がエース、
2がエースのアシスト、
3がエースクライマー、そして、
4はエーススプリンター、箱根学園最速《さいそく》の男がせおう番号。
新開さんはまけない、つまりは、このインターハイでもっとも速《はや》い男だからだ！」

第三章　新開《しんかい》の本領《ほんりょう》

二日目のグリーンゼッケン

「それぞれが一人ずつとび出したぞ!!」

観客《かんきゃく》は箱根学園《はこねがくえん》の青いジャージと京都伏《きょうとふし》見《み》のむらさきのジャージがスパートしたのが見えたから大こうふんだ。


それぞれのチームから切りはなされた二台が、どんどんとうしろをはなしていく。

「京都伏見はエースを、箱根学園はエーススプリンターを出した……」

「グリーンゼッケンをとりに行かせたんだ」


ここから五キロ先にあるリザルトラインをトップで通過《つうか》したものがもらえるグリーンゼッケン、それは最速《さいそく》の称号《しょうごう》。

新開《しんかい》は補給食《ほきゅうしょく》を口にくわえたまま、かるがるととび出した。御堂《みどう》筋《すじ》に先行《せんこう》。あっという間に二メートルほどリードした。

しかし、御堂筋は、

セーノォ、サン……ハァァァァイ‼

と自分に気合《きあい》を入れると、ペダルをぐるぐる回し、スッと新開の真横に追いついてみせた。

「追いついたで、先行するんちゃうの？　アンタ、箱根学園《ハコガク》のス、スプ……やったっけ？」

「リンターだよ」

新開は平然《へいぜん》とチュンと右手のレバーをシフトアップした。ギャンとギアが一段《だん》ずれて、ペダルが重くなる。新開はシリをペダルからうかせるとダンシングの体勢《たいせい》となった。

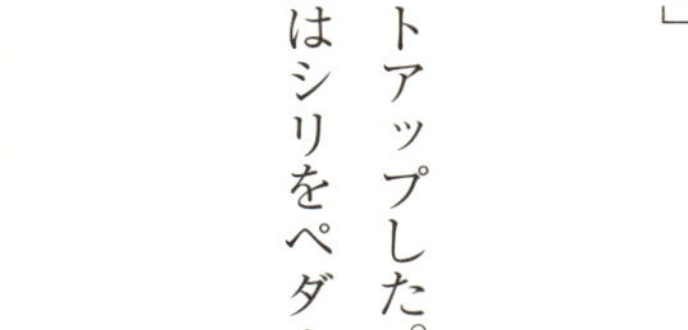

急加速《きゅうかそく》。

ゴッア

ガアアアアアアアアア

かっとんでいく。
御堂筋《みどうすじ》との差《さ》は、またたくまに五メートル、十メートルとひらいていく。

イイイヤハァアア　ハァァアアアア

御堂筋は奇声《きせい》をあげると、自転車から体をのり出し、とくいの超前傾《ちょうぜんけい》ダンシングをくり出す。サドルからシリをうかせて、長身をおりたたみ、顔をグッと前輪《ぜんりん》よ

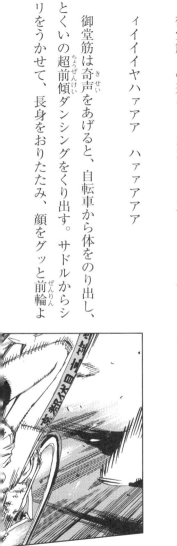

りさらに前につき出す。頭がアスファルトにめりこみそうなフォーム。

　だれも見たことがない独自《どくじ》のスタイルだ。

　あっという間に追いついた御堂筋。独走《どくそう》はゆるさないとばかりに新開《しんかい》の真横に来ると、にかっとわらい、

「サイクリング？」

とからかった。

「天気がいいからな」

と新開は明るくシャレでこたえた。

　このあたり、すぐにカッとなってしまう後輩《こうはい》の泉田《いずみだ》とはひと味ちがう。御堂筋の〝イヤミこうげき〟を、やなぎに風とうけ流していく。

ゼッケン4のねうち

そして、御堂筋《みどうすじ》は目を見ひらくとカッチーンと上の歯と下の歯をぶつけて音をならした。

「ほな、早めに勝負《しょうぶ》をキメよか？　リンターくん」

と言った。

そのひと言が合図《あいず》となり、御堂筋と新開《しんかい》はともにロケットスパート。

どちらもひかず、肩《かた》をぶつけながらひとかたまりで進んでいく。

速度《そくど》がどんどんあがっていく。このままでは前を走る先導車《せんどうしゃ》にぶつかってしまう。

観客《かんきゃく》の悲鳴《ひめい》の中、二台の自転車はさっと先導車を左右から追いぬいた。

「うおおお、選手《せんしゅ》が先導車をぬいたァ！」

観客は大よろこびだ。すごい加速《かそく》で先導車をぶっちぎった二台は、すぐさま、またとなりあわせとなり、高速走行《こうそくそうこう》を続《つづ》けるのだから。

御堂筋は口をあんぐりとあけて、新開の顔を見た。

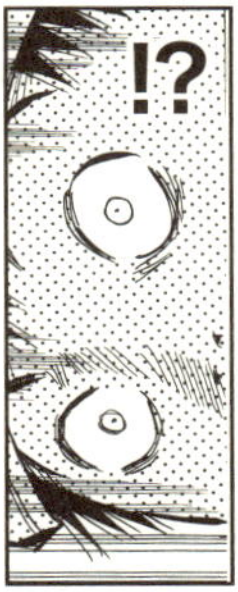

⁉　チギレない。

おかしい……。

今のダッシュで、新開を引きはなすつもりだったのに、そうはならなかった。「どうなってんだ」という顔をする御堂筋に新開はゆっくりと話しかけた。

「御堂筋《みどうすじ》くん、キミは速《はや》いな。けど……悪いね。スプリンターの勝負《しょうぶ》ってのは……」

そう言うと話のとちゅうで、新しい補給食《ほきゅうしょく》を取り出して言った。

「……本当に速いヤツだけが勝利《しょうり》するんだよ‼」

そして、補給食をくわえたまま、ドンとペダルをふみこみ、またたくまに御堂筋をおきざりにした。

もうしわけないね。オレもいちおう、箱根学園《はこねがくえん》のゼッケン4番をせおってるんでね‼

ふたたび新開《しんかい》に先行をゆるした御堂筋は、

ハァ？

ハァア!?

ボク

ボクが

ぬかれへん……やて？

ハ　ハ　ハァ　ハ

と急《きゅう》に息《いき》があらくなったかと思うと、手で顔をこすり始めた。

ハ　ハァ？　ハァア!?　ハ　ハァ　ハ

ハコガク４番……おまえ、なんでボクより前を走っとん……の……。

フツー逆《ぎゃく》やろォォォ。

ケイデンスをあげる。御堂筋《みどうすじ》のペダルが目にもとまらぬ速《はや》さで回っている。

そして、新開《しんかい》に追いついた。

ゴォォォォオォォォォ――

きつい向かい風の中で、新開は追いついてきた御堂筋を見た。

ヤハァァァァァァァァ

「御堂筋くん、箱根学園《はこねがくえん》のゼッケン4番はそういう数字《すうじ》なんだよ!!」

と言い、またピューッと加速《かそく》した。美しい形のふくらはぎがペダルをおしこんだ。

御堂筋にくらべるとまだまだよゆうがあるのだ。

御堂筋は三度《みたび》おどろいて、舌《した》をつき出した。

新開はすずしい顔で、インターハイ二日目のトップを快走《かいそう》する。
「4……。寿一《じゅいち》がくれた最速《さいそく》のゼッケンなんだ。そうだろ、寿一!!」
そう言いながら、新開は一年前のことを思い出した。

福富《ふくとみ》と新開《しんかい》

それは、二年生になった福富《ふくとみ》と新開《しんかい》が去年のインターハイのメンバーにえらばれた日のことだ。

箱根学園自転車競技部《はこねがくえんじてんしゃきょうぎぶ》の部室《ぶしつ》で、先代《せんだい》の主将《しゅしょう》がメンバーを発表した。

「今年のインターハイメンバーには二年生が入る。6番福富寿一《じゅいち》と5番新開隼人《はやと》だ。レギュラーメンバーに二年生が二人も入るのはめずらしいことだが、部内《ぶない》のきびしい競争《きょうそう》を勝ちぬいてきた実力ある二人だ」

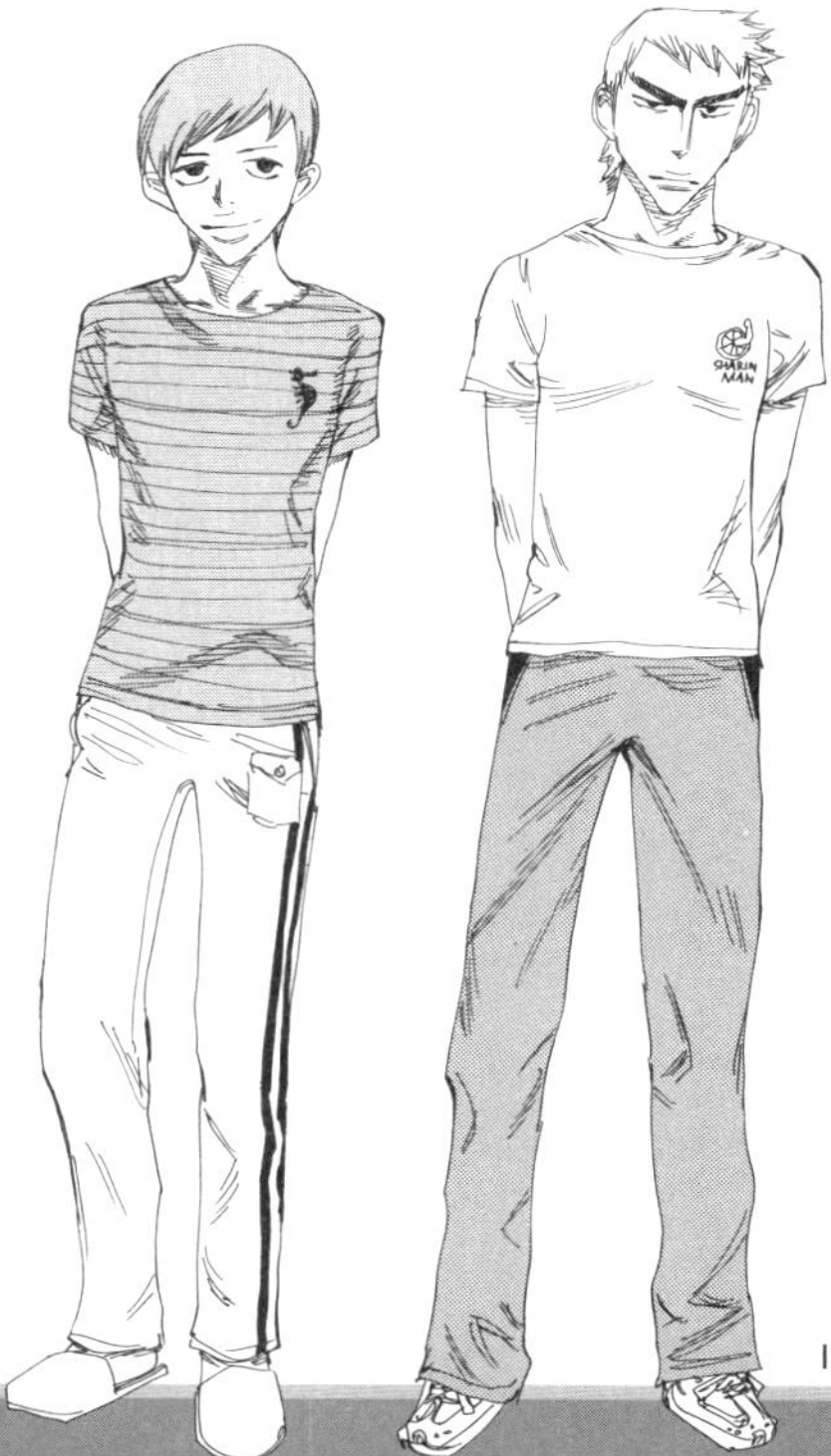

福富と新開は同じ中学の自転車部でキャプテンと副《ふく》キャプテンだった。いっしょに箱根

学園に進学し、かつやくして、二人して下級生《かきゅうせい》ながらレギュラーを勝ち取ったのだ。

主将が二人を部員《ぶいん》たちに紹介《しょうかい》する。

「福富は新人戦《しんじんせん》で二位《い》、秋仲杯《あきちゅうはい》で四位。新開は学連選抜《がくれんせんばつ》のアンダー17のスプリントレースで優勝《ゆうしょう》。学生利根川《がくせいとねがわ》クラシックで優勝。神宮《じんぐう》クリテリウムもカテゴリー別《べつ》でトップだった」

「いやぁ……」と新開はてれてウインクした。

部員たちが、

「新開ってすげぇよな」

「あの速《はや》さはバケモノだ」

とざわめいた。

主将がおごそかに言った。

「今年のオレたちの目標《もくひょう》は当然《とうぜん》、全国優勝だ。二人とも実力を存分《ぞんぶん》に発揮《はっき》してインターハイにのぞんでくれ。それでは一人ずつ抱負《ほうふ》を言ってもらおう」

「二年A組、福富寿一《ふくとみじゅいち》です。ハコガクのゼッケンにはじないようにせいいっぱい走ります。そして三日間のレースのうちどれか——、オレはステージ優勝《ゆうしょう》、とります」

少しきんちょう気味《ぎみ》の声だったが、二年生なのにステージ優勝すると大口《おおぐち》をたたいたのだった。

おおおおおおお！

と部員《ぶいん》たちから大歓声《だいかんせい》がわいた。

「たのもしいな、じゃあ、新開《しんかい》」

と主将《しゅしょう》が言った。

「二年C組の新開です。えーーーーと……オレはじたいしちゃってもいいすか？」

と言ったものだから、部室内《ぶしつない》はシ———ンとしずまりかえった。

新開が部室を出ていったので、あわてて福富が追いかけてきた。

「待て…… じたいってどういうことだ。おまえ、自分が言ってる意味、わかっているのか。この部が始まって以来《いらい》だって先輩《せんぱい》が言ってたぞ」

「マジ？」

「なにがあった⁉ だれもがほしがるヒトケタゼッケンだ。箱根学園《はこねがくえん》のほこりと伝統《でんとう》をせおって走れるんだぞ。ハードな練習を何度もやってきたろ。なんのためだ。インターハイで闘《たたか》うためだ！」

と、まくしたてる福富に新開はれいせいに言った。

「まぁ……そういうのがさ、ちょっとオレには重たいんだよね。

勝負《しょうぶ》するってことはさ、いろんなもん、すてちまうってことなんだ」

福富《ふくとみ》は新開《しんかい》のクールさにはらが立った。

「それがどうした、当たり前だ。敵《てき》に勝つためにはだれでもやってる!!」

ウサギ

しかし、新開はにこりとほほえむと、

「悪いな、寿一《じゅいち》、実はオレ、ウサギをかっててさ。エサやりがあるから急《いそ》ぐわ。あ、いっしょに行く? かわいいぜ?」

と言った。二人はだまって歩いた。

小屋《こや》にはエサを食べている茶色いウサギがいた。

新開はしゃがんで、そいつをやさしくなでたあと、エサをやった。

そのすがたに、福富は話しかけた。

「新開……オレにはわからない。おまえは……勝負からにげる男じゃなかったはずだ。目の前の敵をどんな手を使ってでも引きずりおろす、鬼神《きじん》のようなスプリントがおまえの真骨頂《しんこっちょう》だった。オレも初めて、おまえのスプリントを見たときはゾッとした。ふだんはひょうひょうとしているおまえが自転車にのり、勝負のときになると一変《いっぺん》する!!　ついたあだ名が、箱根《はこね》の直線鬼《ちょくせんおに》!!　ふり向いた相手がおまえの鬼の形相《ぎょうそう》にふるえてつけたアダ名だ!!」

「昔話《むかしばなし》だ」

と、新開がボソッと言った。それを聞いた福富は新開のむなぐらをつかんで引っぱり、立ち上がらせた。

「一体《いったい》どうしたんだ。新開《しんかい》ぃ!!

直線鬼《ちょくせんおに》はどこへ行ったんだ。高校に入るとき、いっしょにインターハイに出て、天下を取ろうって言ったじゃないか‼ 敵《てき》を引きずりおろしてこそのおまえだろ‼ 闘《たたか》え‼ もがけ‼ だれよりも勝利《しょうり》にうえている男、それがおまえだろ‼」

「このウサギはさ、まだ仔《こ》ウサギだ。オレがめんどうを見なきゃいけないんだ。こいつの母ウサギは……オレがレース中にひきころしたからな」

「……!?」

それは、あるレースの左カーブで、先を走る自転車を左がわからぬこうとしたときのことだ。ひょこっとウサギが道路にとび出してきたのだった。

「よける間もなかった。オレはそいつにぶつかって落車《らくしゃ》した。だがすぐに自転車をおこして走り出したんだよ。オレはそのレースで優勝《ゆうしょう》した。帰り道に、なにげなくコースを通った。落車したところの道路のわきに仔ウサギがいて、そばの母ウサギはもう息《いき》がなかったんだ。オレが闘いにこだわり、勝利を追いかけるあまりわすれてきたなにかが、そこにはあった。闘って負けたヤツはさ、また挑戦《ちょうせん》すればいい。けど命はさ……そういうのって取り返しがつかないんだよなァ。すまねぇ寿一《じゅいち》、オレ、今、全力でペダルがふめないんだわ」

福富《ふくとみ》はなにも言えなかった。手をはなした。

「……。そうか、わかった。ならば仕方ないな。先輩方《せんぱいがた》にはオレから言っておく」

すまねぇ、寿一《じゅいち》。二人で走るのを楽しみにしてるのになァ……。

オレはもう……。

福富《ふくとみ》は新開《しんかい》のとなりにならんでしゃがんで言った。

「だが、来年は走れ。オレは来年、主将《しゅしょう》になって、最強《さいきょう》のチームを作ろうと思う。そのとき、おまえに、エーススプリンターの4番ゼッケンをやろう」

新開は、

「走れなく……なってるかもしれないぜ」

と言った。

「走っているはずだ。今より速《はや》くな。なにより、オレがそう望《のぞ》んでいる!!」

「寿一……強引《ごういん》だな、……けど、ありがとよ」

――そんなことがあったのだ。あれから一年。

二人は三年生になり、福富は主将に、新開はエーススプリンターとなった。

とび出していく新開の背中《せなか》を福富がたのもしそうに見つめていた。

行け、新開。オレはおまえの走りが全国にひびきわたる日を一年間待った!!

今年の箱根《はこね》学園《がくえん》4番は、史上《しじょう》最強のスプリンターだ!!

新開は補給食《ほきゅうしょく》をくわえたまま快走《かいそう》する。御堂筋《みどうすじ》はみるみるはなされて、

「ピギ――――ッ」

と、のたうち回るように悲鳴《ひめい》をあげていた。

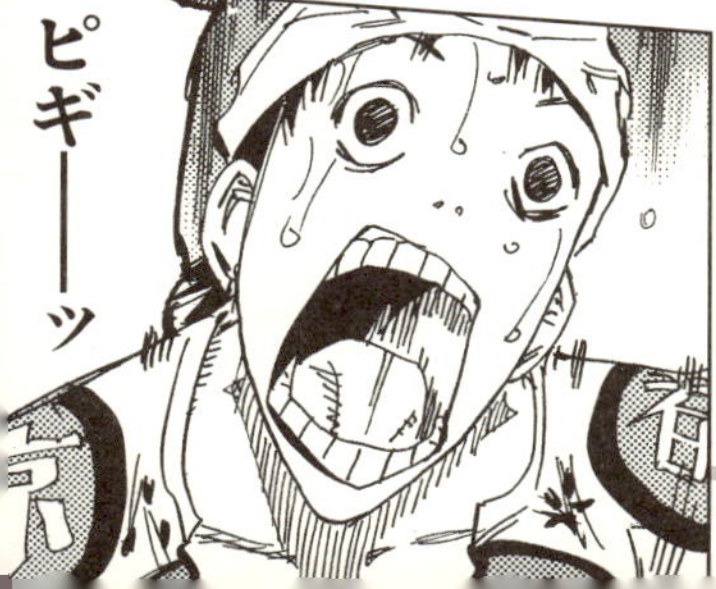

総北《そうほく》 VS 熊本台一《くまもとだいいち》

そのころ、後方《こうほう》では、沿道《えんどう》の観客《かんきゃく》が大声をあげていた。

「おおお、見ろ。総北《そうほく》がそろった!!」

「京伏《きょうふし》や箱根学園《はこねがくえん》よりはおくれたが、メンバー、追いついてるぞ」

新開《しんかい》と御堂筋《みどうすじ》のスプリント決戦《けっせん》が通りすぎて、箱根学園の五台編成《へんせい》と京都伏見《きょうとふしみ》の五台編成が通りすぎて、さらにそこからかなりおくれて、ついに、

ゼッケン174　鳴子《なるこ》

ゼッケン171　金城《きんじょう》

ゼッケン175　今泉《いまいずみ》

ゼッケン173　巻島《まきしま》

この順番《じゅんばん》で、総北の黄色いジャージが四台編成になってやってきた。

静岡県《しずおかけん》に入った下り坂で鳴子が巻島をしっかりと引いて、前を行く今泉と金城にようやく追いついたのだ。

「千葉《ちば》、がんばれー!!」

総北は一日目の一位同着《いどうちゃく》の三チームのうちの一つとして注目を集めたため、沿道からの千葉への声援《せいえん》がふえている。

「うしろから名門《めいもん》、熊本台一《くまもとだいいち》が追ってきてるぞ!!」

シャーッーッーッー

シャーッーッーッーッーッ

総北《そうほく》をのみこむいきおいでピンクのジャージの六台がせまっていた。

「熊本《くまもと》、集団からチームアタックをかけたんだ‼」

「肥後《ひご》の超特急《ちょうとっきゅう》、熊本台一《くまもとだいいち》だ‼」

「せまってる‼　熊本は六人……総北は四人‼」

ウォォオオオオオオ‼

熊本のピンクのひとかたまりが、みるみると黄色に近づいていく。

シャーッーッーッー
シャーッーッーッーッーッーッ

「アホかっ!!」

黄色の先頭《せんとう》、総北を引っぱる鳴子《なるこ》がさけんだ。

ドリンクボトルからひとのみすると、

「この鳴子章吉《しょうきち》が先頭引いてて、好きにさせるかっちゅーねん。おるあぁぁ!!」

とダンシングでペースを上げる。今泉《いまいずみ》、金城《きんじょう》、巻島《まきしま》はしっかりと鳴子についていく。

観客《かんきゃく》から、また歓声《かんせい》があがった。

「オォォオオ!!」

「総北、動いた！　ゆずる気ないぞ。赤頭のスプリンターだ」

「すげ！」

総北が熊本をはなす。

なんとか差《さ》をキープしながらも、総北《そうほく》の列《れつ》のなかでは金城《きんじょう》がれいせいに展開《てんかい》を読もうとしていた。

はぁ、はぁ、はぁ、はぁ、はぁ、はぁ、

金城は苦しそうにあせをぬぐった。

劣勢《れっせい》だな……。

むこうは六人、こちらは四人。

この平坦道《へいたんみち》でたよりになる田所が……いない。

今どうなっているのかさえ不明《ふめい》……そして小野田も——か……。

作戦《さくせん》がうまくいかないと、つかれも増《ま》してくる。

本来、追うべき箱根学園《はこねがくえん》と京都伏見《きょうとふしみ》はすでにはるか前……、

巻島《まきしま》と鳴子《なるこ》もオーダーどおりに仕事をしてくれている。

だが、鳴子は合流《ごうりゅう》してからも、たった一人でチームを引いている。
本当は休ませてやりたい……。

やっとバラバラだったチームが四人そろった……しかし、口には出さないが、ここにいる全員《ぜんいん》がこう思っている……!!

もしもここに六人全員がいたら……!! と

熊本台一《くまもとだいいち》の田浦《たうら》

二日目スタート前に立てていた作戦はすでにぶっこわれている。総北は苦境《くきょう》に立たされていた。そこに熊本台一《くまもとだいいち》がふたたびせまり、総北にならびかけた。

む！

熊本《くまもと》の先頭《せんとう》を走る、ひときわ大柄《おおがら》な男がさけんだ。

「熊本ぉお、台一《だいいち》ぃいい!!」

あまりの迫力《はくりょく》に、総北《そうほく》のメンバーはけおされて、すくんだ。

「熊本は火の国!!　雄大《ゆうだい》な阿蘇《あそ》の山々で登坂《とはん》をみがき、裾野《すその》広がる熊本平野で平坦《へいたん》をきたえてきた!!　熊本台一の田浦良明《たうらよしあき》たい!!」

総北先頭《せんとう》の鳴子《なるこ》がさけび返した。

「くそ、ならばれる、数の差《さ》かい」

「うんにゃ、実力の差ばい！」

そういうと、ゼッケン52をつけた巨漢《きょかん》は、
鳴子に体をならべた。

追いぬきシーンか、と観客《かんきゃく》がわく。

「おおおおお」

「熊本がぬくかー」

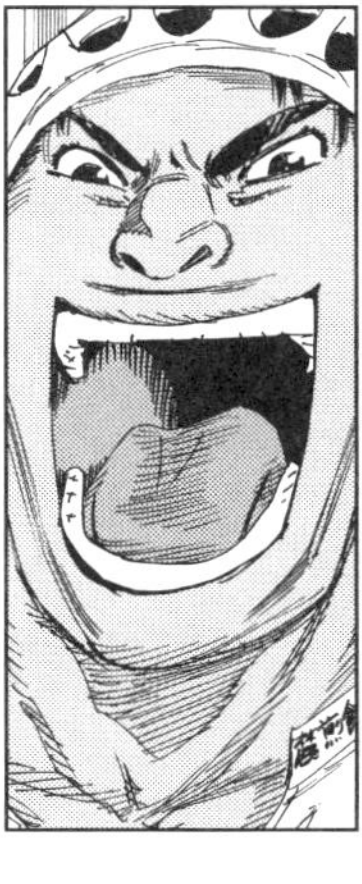

黄色とピンクが二列《れつ》にならぶと、大きな歓声《かんせい》がひびいた。

鳴子を横目で見て、田浦が言った。

「小《ち》っさかねぇ!!　総北のスプリンターは小っさか!!　そげな体で引けるとね!!　もっとたくさん食べなっせ!!」

山のような大男とならぶと、鳴子の小ささがひときわ目立つ。

「ち……て。コラ、ボケ、小さい言うな!!」

そのときだった。

鳴子の太《ふと》ももがピクッとなった。さっきから交代《こうたい》なしでずっと引いている。足の筋肉《きんにく》がもう限界《げんかい》をこえているのだ。

鳴子はうしろをふり返ると、
「スカシ!　先頭交代《こうたい》や!!」

と今泉《いまいずみ》に声をかけた。このペースではもう走れない。まだ、元気な今泉と交代《こうたい》しようというわけだ。

「あがれ！　引け！　あがれスカシ‼」

だが、今泉はあがってこなかった。

鳴子《なるこ》以上《いじょう》につかれきっている今泉にはそんなよゆうがないのだ。

「どうした、チームもバラバラたい。昨日《きのう》の一位《い》は偶然《ぐうぜん》のラッキーゴールやったとね‼」

と田浦《たうら》が鳴子に言う。

「バラバラちゃうわ、ボケ‼」

「バラバラたい‼　グリーンゼッケンと176番は集団《しゅうだん》のうしろの方でウロウロしとったばい‼」

え？　と鳴子が目を見ひらいた。

え？　と巻島《まきしま》が、

え？　と金城《きんじょう》が、その言葉に反応《はんのう》した。

鳴子が、

「それ、ホンマか、ゴリラ」

と言った。

「ゴ⁉　ゴリ……キミは失礼《しつれい》か、男ばい」

「そんなことはどうでもええねん、集団で……ほんでその二人、どっちが先頭《せんとう》を走っとった⁉」

と鳴子は田浦にたずねた。

「フ‼　まったくゆかいな二人やったばい‼　小さかメガネが、大きか男のほうば引いとった。フツウ逆《ぎゃく》たい‼　ハハハハハ」

とわらった。

それを聞いて、鳴子、巻島、金城は同時にえみをうかべた。目に希望の光がともった。

「な⁉　なんでえがおになった⁉」

と田浦《たうら》はびっくりした。

希望

鳴子《なるこ》は、「巻島《まきしま》さん……」と声をかけた。
「アア、鳴子……」
「オッサンはきっちり集団《しゅうだん》までもどってますよ。
小野田くんはオッサンを引いて、かくじつにこっちに
向かってます‼」
鳴子の言葉に巻島はうつむいてわらいをかみころした。
オレの判断《はんだん》はまちがっていなかった……。

思わぬタイミングで、チーム総北《そうほく》に朗報《ろうほう》がもたらされた。

坂道が田所を引いて、こちらに向かっているのだ。

「気持ち悪かばい。あまりに追いこまれて、このチームはおかしくなったとばい」

と、田浦が言い、

「行くぞォォ」

とスパートして、総北を追いぬかしていった。

ガァアアアアアアア――

「前に出たぁあああ　総北がぬかれたぞー」

一気《いっき》に肥後特急《ひごとっきゅう》が通過《つうか》していく。


金城《きんじょう》もうなずいた。

小野田……!!

まったくおまえは、意外性《いがいせい》のある男だ!!

そのとき、金城《きんじょう》が鳴子《なるこ》に声をかけた。

「鳴子、下がれ。足を休めろ」

「は？」

「あいつらが来てることがわかった以上《いじょう》、ここよりうしろに下がるわけにはいかないようだ。箱根学園《はこねがくえん》と京伏《きょうふし》に追いつくぞ。

だから、今から、オレが引く!!」

総北《そうほく》のメンバーはアッとおどろいた。

そして鳴子が思わず言った。

「なにを言《ゆ》うとるんですか、金城さん!!　金城さんはエースでしょ。エースはうしろで足を休めてゴールにそなえんとあかんですよ!!」

金城は言葉をさえぎった。

「闘《たたか》うためにできることがあるなら、それをやりきる。たとえエースがチームを引くということであってもな。それがチーム総北の走りだ」

ここが勝負《しょうぶ》どころだとばかりに、金城の目はするどく光り、エネルギーに満《み》ちていた。

「そして、つらそうなヤツがいたら全力でささえあう。いくぞ、今泉《いまいずみ》、回復《かいふく》したらまた働《はたら》け。おまえの力がまだチームには必要《ひつよう》だ」

金城さん……。

さっき鳴子に先頭《せんとう》をかわってくれと言われたときに、ポジションをあげられなかった今泉は、この言葉にすくわれた。

続《つづ》いて金城は、「たのむぞ、鳴子!!」

と声をかけた。

「ったくしゃーないスね!!」と鳴子《なるこ》はうれしそうに答えた。
つぎに、「たのむぞ、巻島《まきしま》!!」と声をかけた。
巻島は、「ショ!!」とみじかく答えた。
金城《きんじょう》には、チーム総北《そうほく》の心が一つになったように思えた。
金城を先頭《せんとう》にした総北がふたたび速度《そくど》をあげ始めた。
先にピンク色のかたまりが見えてきた。
熊本台一《くまもとだいいち》の先頭では田浦《たうら》がほえた。
「このまま箱根学園《はこねがくえん》に追いつくばい!!」

今、京都伏見《きょうとふしみ》と箱根学園につづく三番手は、熊本台一だ。その田浦にうしろのチームメイトから声がとんだ。

「田浦さん、総北が追ってきてます‼」

「⁉　ハァ⁉　落ちてったんじゃなかったばい？」

田浦はガバッとふり返った。

見えたのは、金城を先頭にした、黄色い総北だ。

いきおいをつけておってくる。


もう、金城の声がせまってくる。

「悪かったな、熊本台一……。オレは金城真護《しんご》、
石道《せきどう》のへび。ぜったいにあきらめない男だ‼」

残り二キロ

場面はふたたび、レースの先頭、新開対《しんかいたい》御堂筋《みどうすじ》の一騎《いっき》うち。

グリーンゼッケンのゆくえは――。

新開《しんかい》にスパートされて、またしても
はなされた御堂筋《みどうすじ》は、

「ピッ、ピーーーーーーーーギーーーーーーーーーーッ」

とさけんで顔をゆがめた。

ハア、ハア、ハア、ハア、ハア、ハア、ハア、

「なんで……やのん……なんでボクが……」

あらい息《いき》でそう言うと、気合《きあい》を入れ直すかのように両手で顔をたたき、
ゴシゴシとこすった。追いついても、追いついても、新開はバネのよう
に御堂筋を引きはなす。

「残り二キロ」のかんばんをすぎた。
新開は言った。
「スプリントラインまであと二キロ。勝負《しょうぶ》あったね、御堂筋くん。昨日《きのう》の話じゃもっと策《さく》略家《りゃくか》ときいていたが……」

御堂筋は「ピァァァァァ!!」と奇声《きせい》を発《はっ》しながら、手ばなし運転《うんてん》で走っていたが、急《きゅう》に「バァ」と顔においた指《ゆび》をひらいた。目がギョロリとこちらをむき、仮《か》面《めん》をはずしたかのように表情《ひょうじょう》を変えて、口もとをおさえて新開にしゃべりかけてきた。

「プププププ。

よゆうや。

〝勝負あったね〟やて!!

ププププ、カッコイイ!!」

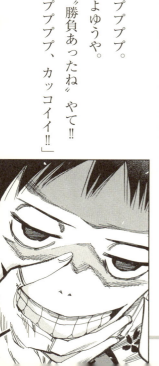

そう言うと、なにかをたくらんでいるような顔になった。

自分のアゴをさすりながら、三白眼《さんぱくがん》で新開《しんかい》をにらんだかと思うと、ねっとりした声色《こわいろ》で話しかけてきた。

「なんのじゅんびもなく、このスプリントをしかけるわけがないやろ、新《しん》カァイくん……プププ。正直……、勝負《しょうぶ》あったの、おまえやで‼」

と言うと、スパッと速度《そくど》をあげて御堂筋《みどうすじ》は新開に超接近《ちょうせっきん》した。

新開はあまりの気持ち悪さに、バッとペダルをふんでまた前に出た。

「ほォ……御堂筋くん……キミはまだ追いかけてくる足を残していたのか」

とどうようをかくして、れいせいに言った。

御堂筋は、

「ロードレースじゃ、だましは一つのテクニックや……つかれたふりをして足をためる。なにもないふりをして、とっておきを残しとく……まけたふりしてチャンスを引きこむ!!　どやった?　ボクの〝まけしばい〟……勝利《しょうり》をかくしんしとったねェ……キミ。『勝負あったね』やて。プププ。どやった?　ピギーのとことか、真《しん》にせまっとったやろ!!」

と言うやいなや、ふいをついてダンシング。

新開もまけずにタイミングをあわせてダンシング。そして、

「いやあ、アカデミー賞《しょう》もんの演技《えんぎ》だったよ」

と言って、また御堂筋をはなす。

ほら、にげたァ!!

と御堂筋はそれを見てよろこんだ。

それに気づかず、新開《しんかい》は、

「まだ来るかい、何度やっても引きはなすさ。同じだ」

と言った。


新開はふたたび、御堂筋《みどうすじ》を引きはなしていく。


「ウーーーーーーーーーーーーーーーッ」

前を走る新開にむかって、突然《とつぜん》、御堂筋が奇声《きせい》を発《はっ》した。

「なんだいそれは？　陽動作戦《ようどうさくせん》かい？」

と新開がれいせいにたずねた。そして、くわえていた補給食《ほきゅうしょく》をもぐもぐすると、

「それともサイレンか‼」

と言った。

御堂筋がくればはなす、またくれば、またはなす。これが新開の作戦だ。

しかし、御堂筋はすぐに新開とならんだ。そして、

「ウーーーーサーギー♪　おーーいしー♪　かーのーやーまー」

と大声でうたい始めた。

新開《しんかい》の顔色がみるみる白くなっていった。

御堂筋《みどうすじ》はそれを見てますます楽しそうに言った。

「ん……あれ？　〝ウサギ、おいしい〟やったっけ？　ひきころしたあと、食べたんやっけ？

おいしかった？」

新開の脳裏《のうり》にはコース上にとび出してくるウサギのすがたがうかんだ。

あの日の悪夢《あくむ》。

「なぁなぁ、毛むいて、肉食《にくく》ったんやろォオォ!!」

と御堂筋が悪魔《あくま》のような顔で言ったとたん、新開が口にくわえていた補給食《ほきゅうしょく》がポロリと落ちた。が、地面に落ちる寸前《すんぜん》でサッとつかんだ。ゆっくり口にもってくると、ひとかじりした。

「……ウワサどおりだな、御堂筋くん、いろいろと敵《てき》のデータは調《しら》べているらしい」

と新開はショックをかくすように小さな声で言った。

「けど、それで実力差《じつりょくさ》はうまらないよ‼」

それだけを言うと、また、先行《せんこう》し、御堂筋との差を開《ひら》いた。

御堂筋はここぞとばかり、大きな声を出した。

「そうやって、常《つね》に前を走る‼」

またたくまに新開のうしろにピタリとつけ、頭を低《ひく》くした体勢《たいせい》でしつこく話しかける。

追いぬき

「なんでなん？　それは強力なスプリントで相手《あいて》を失意《しつい》させるためだけやないな。前を走っておかないかん理由《りゆう》、前に走っとる者にあたえられる権利《けんり》、それは……」

と言うと、歯《は》をカッチーンとならした。不気味《ぶきみ》な音がひびいた。

ふりむいて少し悲しそうな表情《ひょうじょう》で御堂筋《みどうすじ》をひとにらみした新開《しんかい》は、またダッシュした。
ギュンと前に出た。

しかし、御堂筋はそれにもまさるいきおいでダッシュをかけた。

「イヤハアアアアアアアア」

とさけびながら、超前傾《ちょうぜんけい》ダンシングでぬら～りとぶちぬいた。

先頭《せんとう》が入れかわった。

「先行している者の特権《とっけん》は、追いぬかなくてもいいゆうことや」

〝追いぬき〟……!!

その言葉に新開はかたまった。

トドメをさすように御堂筋が言った。

「聞いたでぇ……新《しん》カァイくんは、ウサギをひきころしたあの日から、敵《てき》の左がわをぬけへんのやろ」

新開のひみつを知っている御堂筋はとくい顔で歯をカチカチさせている。そして、コースの右がわによって車線《しゃせん》の左がわをガラあきにした。どうぞと手を上げて、左がわを通るように合図《あいず》した。

「ぬいてええで。ほらどしたの？」

「…………」

「ほら、どしたの？　はよぬかんと、時間ないで……ぬき返しな？　スプリントラインまで残り、たったの一・五キロやで!!」

なにも言えない新開《しんかい》にむかって、べろりと長い舌《した》をつき出して見せた。

「あの日以来《いらい》、左がわ、ぬけへんのやろ」

ハァ、ハァ、ハァ、ハァ

さすがの新開も息《いき》があらくなったが、なんとか息をととのえて、

「だからっつって……ハイあきらめました——つんじゃ、おめーはゆるしてくんねーんだろうな‼　寿一《じゅいち》‼」

とひとり言のようにさけぶと加速《かそく》し、ガラッとあいた左ではなく、御堂筋《みどうすじ》の右がわに自転車の鼻先《はなさき》を一気《いっき》にねじこんでいった。

すかさず御堂筋がさらに右にはばよせしたのだ。前輪《ぜんりん》が、御堂筋の自転車の後輪《こうりん》に接触《せっしょく》しそうになった。新開は行き場を失い、速度《そくど》をゆるめるしかなかった。

御堂筋は左がわを指《ゆび》さしたままで、

「せやから……左どうぞ、言うとるやん……」

とふりむきもせずにまったりと言う。

新開がためらっていると、

「ほら、早《は》よせんとスプリントラインが近づいて、道幅《みちはば》ァァ……せまなるで？」

たしかに、コースの右はしには「←左によれ」のかんばんが何度も出ている。

ここからスプリントライン前までは、道の両サイドには観客席がある。その分、コースはばがせまくなるのだ。

観客席《かんきゃくせき》がせり出してくるなんて、そういえば、
二日目のコースマップに書いていたな……。
気にもとめなかったが、御堂筋《みどうすじ》くんはそんな
ところまで計算に入れていたのか……。

このとき、新開《しんかい》は御堂筋のこまかさに気がついた。

目の前を行く御堂筋はずっとコースの右はしギリギリを走っている。

ドロップハンドルの右はしと、右ペダルのはしっこが、ときおりカンカンと音を立てて、
パネルにぶつかるほどキワキワを走っているのだ。

やがてぶるん、と御堂筋がふり向いた。

とくいげな顔をしている。

どうやら
右がわをゆずる気はなさそうだな……!!
どうする
オレ

新開はこまった。

悪魔《あくま》VS鬼《おに》

右がわなら……ぬけるのにな……。

ペダルを回しながら、新開は手であせをぬぐった。
つぎの手を考えるしかない。

十か月前、三年生が引退《いんたい》して新チームを結成《けっせい》したときのことをふいに思い返した。

部室《ぶしつ》に集まった、なかのよいメンバーの前で、新開《しんかい》は自分の弱点《じゃくてん》をうちあけたのだ――。

「左がわがぬけない？」
と福富《ふくとみ》がふしぎそうな顔をした。
「ああ、はずかしい話だ。左がわをぬこうとすると悪いイメージが一瞬《いっしゅん》、うかんじまってな。なにかがとび出すかんじっつのかな……指《ゆび》が勝手に反応《はんのう》してブレーキをかけちまうんだ」
と、新開は話した。

新開はこのことをこくはくした。
「なんとか自転車には乗れるようになったんだが……このままじゃ無理《むり》だ。来年のインターハイの4番はほかのだれかに――」

部室には重い空気が流れた。

しかし、

「だったら問題《もんだい》ないな」

と、福富が言った。

「右をぬけ。敵《てき》の右がわを全力でぬけばいい‼ 不得意《ふとくい》な左を克服《こくふく》する必要《ひつよう》はない」

「オレも福富《トミー》と同じ意見だな」と、東堂《とうどう》も話にわりこんできた。

「右ぬきだったら、だれにもまけない新開……それでいいじゃないか‼ スペシャリストはいいぜ？ 美しい‼」と、東堂がビシッと新開を指さした。

「つーか、重要《じゅうよう》な話っつうから来てんのに、んなコトかァ⁉」

とさっきまでだまっていた荒北《あらきた》もふまんげな声をあげた。

「おい、新開、んなことで今まで部活《ぶかつ》をサボってたのかよ。

ったく来年ゼッケンをゆずるだぁ？　まだ、なにも決まってねーよ。バカ、調子《ちょうし》にのんな。実力でもぎとんなきゃゼッケンはいただけねェんだ。てめェにゃ、スプリンターとしての才能《さいのう》があんのに、なにをすてようとしてんだ」

荒北《あらきた》はいきおいよく話した。

「靖友《やすとも》……」と、新開《しんかい》は荒北《あらきた》を見た。

「ボケ……ナスが‼　しょうがねえからオレがよ、練習《れんしゅう》、つきあってやるよ」

その日から、どんなシチュエーションでも右がわをぬくという新開の特訓《とっくん》が始まった。

四人が顔をそろえた。

荒北、東堂《とうどう》、福富《ふくとみ》の三台が前に自転車のかべを作る。最初《さいしょ》、新開はそのうしろにいて、三台の一番右がわからぬいていく。

荒北が、

「オレが練習しようと言ったのに、なんで
てめェらがきてるんだよ、カッコつけんな！」

といっしょに走る東堂と福富に言った。

東堂は、

「ハッハッハッ、それはならんね。事情《じじょう》を知ってしまったからね‼」

と言った。

みんなが練習につきあった。

新開はだまって練習につきあってくれる福富に、

「寿一《じゅいち》……、ありがとよ、礼《れい》を言うよ」

と言った。

福富は、

「いや。オレはおまえが必ず戦力《せんりょく》になると信じているだけだ。おまえの奥底《おくそこ》にねむる勝利《しょうり》
への渇望《かつぼう》が、速《はや》さへの歓喜《かんき》が、肉体《にくたい》の執念《しゅうねん》が、スプリンターとしての最速《さいそく》のたましいが」

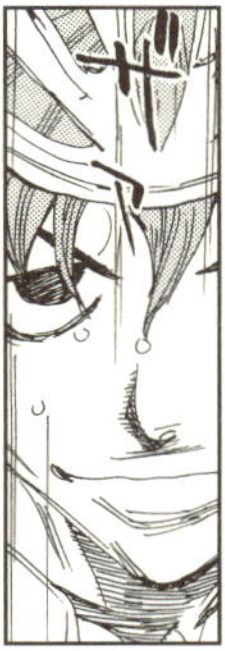

と言いながら福富《ふくとみ》は新開《しんかい》のこしをバシッとたたいた。
東堂《とうどう》が新開のヘルメットにポンと手をのせた。荒北《あらきた》はあっかんべをした。

ぜったいに箱根学園《はこねがくえん》を優勝《ゆうしょう》へとみちびくんだ。
そんなチームメイトの思いとはげましで、右からぬく練習《れんしゅう》を重ねたのだ。

ぬく

——今、
目の前に御堂筋《みどうすじ》のシリが見える。右がわはかべだ。そこにすきまはない。
むらさきジャージと青いジャージの二台が、前後がくっつき

そうになりながら、計測《けいそく》ラインをめざしてなだれこんでいく。

観客《かんきゃく》たちは新開の気も知らず、レースにこうふんしている。

「うおおお、京伏《きょうふし》、前だ‼」

「ガード、すれすれ！」

「二日目のグリーンゼッケンは、京伏か‼」

「ハコガクーーーーーーー‼　行っけーーーーーーーーーー‼」

それぞれが思い思いの気持ちをさけぶ。

「残り一キロ」のかんばんが出た。

新開は、御堂筋を風よけに、まうしろでペースを落とさずにこぎ続《つづ》けている。

ヤッバイ……、
いよいよヤバイな……。

右は完全《かんぜん》にふさがれている。

選択肢《せんたくし》は二つ……。

このままついていって二番手《にばんて》で計測《けいそく》ラインをこえるか……。

そのとき、新開《しんかい》は、福富《ふくとみ》がさわったこし、東堂《とうどう》がさわった頭をさわり、荒北《あらきた》がやったあかんべをしてみた。そして、「だよなァ……、この選択は当然《とうぜん》ッ、ナシだよな‼」と言いながら、心を決めた。もう、まよわない。

いけ、いけ、いけ‼

新開は自分をふるいたたせると、バッと自転車を左にふり、大きくあいた御堂筋の左がわを加速開始《かそくかいし》。御堂筋はアッという顔をした。

「箱根学園《はこねがくえん》、動いた！」

とドッと歓声《かんせい》がわいた。

「左から行ったァァ！」

「一気《いっき》に行け、４番！」


新開は自分に言い聞かせた。


左がわにはなにもない!!

なにもとび出さないっ!!

行け!!　新開隼人《はやと》!!


御堂筋と新開がならんだ。

「おおおおおおおおおおおお！」

と歓声が高まった。

そのとき、

ゴッと音がして新開《しんかい》のスピードが落ちた。

なぜなら新開が左指《ひだりゆび》でブレーキレバーをひいたのだ。

「箱根学園《はこねがくえん》、失速《しっそく》!!」

御堂筋《みどうすじ》は、大口《おおぐち》をぱかっとあけて、新開を見て「ププ……プププ」とわらっている。

過去《かこ》にウサギをひいてしまった恐怖心《きょうふしん》で指が勝手《かって》に動いてしまった新開は、

「ぬけない、けど……ここで退《ひ》くわけにゃいかねえんだ!!　……左」

そうつぶやきながら、新しい補給食《ほきゅうしょく》をくわえた。

「ホンマやったんやね。左、ぬけへんの。ププ、ブザマやね!!」

ハコガクの4番やのにね‼」

御堂筋は口をおさえて、うれしそうにわらっている。

ぬく‼

左から‼

と、新開はふたたび心にちかかった。

今度はなにがあってもブレーキを引かないように、左手の指はブレーキレバーにかけずに、ハンドルをぎゅっと強くにぎりしめた。

新開は決死《けっし》のかくごだ。

ここで退《ひ》くわけにゃいかねェんだ‼　と御堂筋に声をかけた。

「御堂筋くん、箱根の直線《ちょくせん》にさ……鬼《おに》が出るってウワサ、知っているかい」

と言うと、自分の……顔を右手でかくした。

「……？　は？」

と、御堂筋《みどうすじ》はこちらをふりむいた。

そのころ、バトルの後方《こうほう》、一キロの地点――。

シャ――――

シャ――――

心理作戦《しんりさくせん》

京都伏見《きょうとふしみ》の五台と、箱根学園《はこねがくえん》の五台がならんで走行中《そうこうちゅう》。

「〝オレたちの信頼《しんらい》をくずすために〟――だと？」

福富がふゆかいそうに言った。

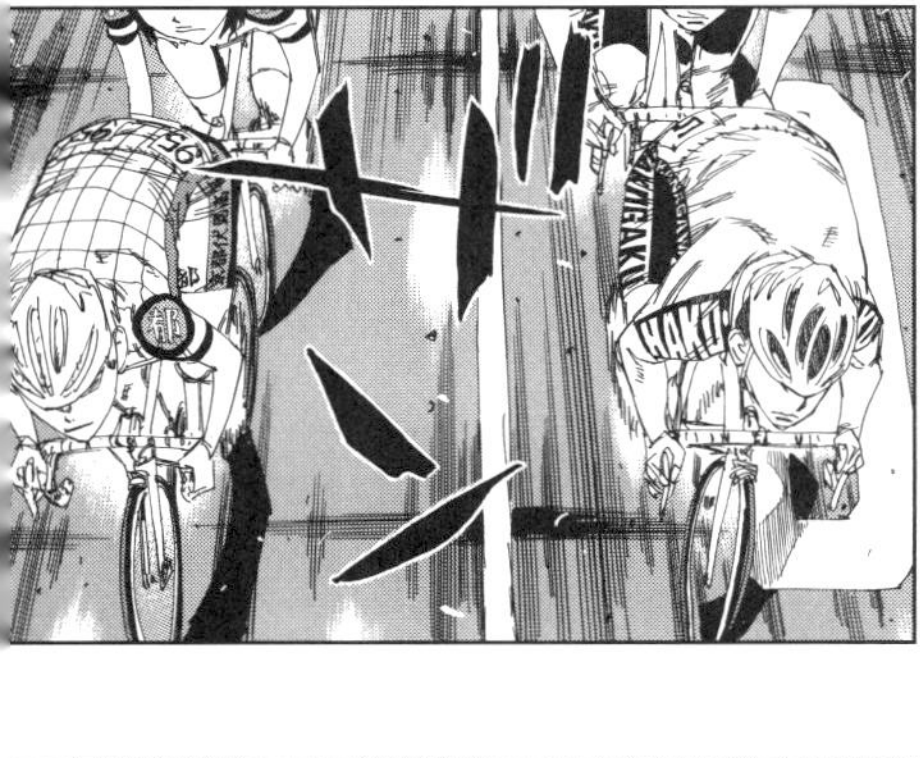

京都伏見の水田《みずた》がなにかを話しかけたのだ。

「箱根学園最速《さいそく》の要《かなめ》、新開《しんかい》を最速のステージでおとすんです。そう、御堂筋くんは言ってましたよ。新開には大きな弱点《じゃくてん》があるんやって‼」

水田はとくいげだ。

「それがどうした」

「弱点ですよ、弱点‼　それをついて、御堂筋くんはこのスプリントをとるんです‼　最速勝負《しょうぶ》を‼」

水田はいきようようと言ったが、

「だったら、新開は克服《こくふく》するだろう」

と福富はそっけなく言った。

水田は、

「できるんですかね、そんなすぐに弱点克服なんか」

と強気《つよき》をよそおった。

そこへ、荒北《あらきた》があきれたように言ってきた。
「ぐだぐだ、るっせーーよ、二年ボーズ。御堂筋《みどうすじ》きどりのパチモン※が‼」
ハエをはらい落とすような荒北の迫力《はくりょく》に、水田《みずた》はようやく口を閉じた。
「あんなァ、あいつはやるときゃ、やるんだよ‼」

そこへ、今度は東堂《とうどう》が割《わ》って入ってきた。
「よさないか、荒北っ。おびえている。水田くんだったね。
まちがってもらってはこまるな。追いこまれたから負けました――なんて、
あいつはそんな中途半端《ちゅうとはんぱ》なかくごでこのステージには立っとらんよ‼　やるさ……。
目の前の敵《てき》をたおす。それがヤツの真骨頂《しんこっちょう》だ‼」

水田は二人にやりこめられた。

※パチモン…にせもの

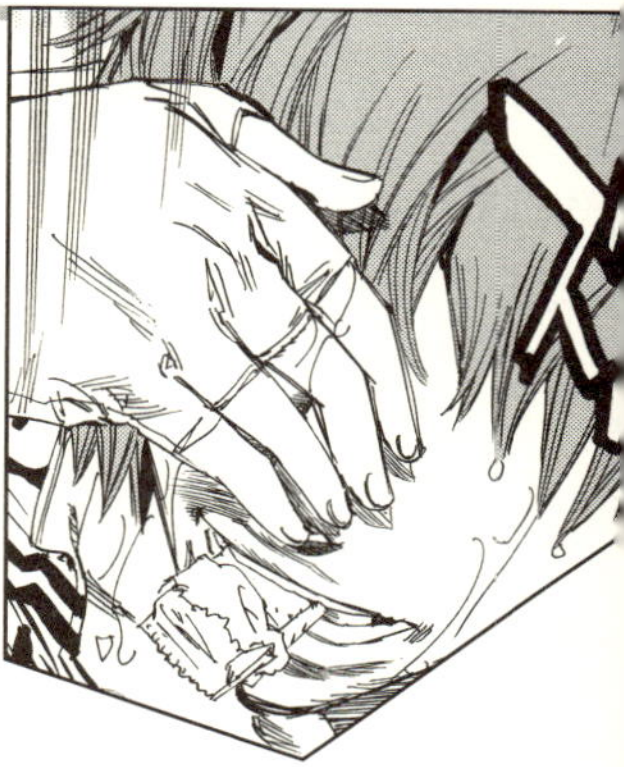

鬼《おに》

新開《しんかい》は、右手で顔をかくしながらペダルをこいでいる。

仮面《かめん》を取りさろうとしている。

御堂筋は、

「箱根《はこね》の直線《ちょくせん》に？　出る？　ハァ、鬼《おに》？」

と、ふりむいた。

「そうだ……もう一年以上《いじょう》、昔《むかし》のウワサだからな。おめェは……知らねぇだろうな」

と、新開は言った。

ザワァァ

御堂筋は、背中《せなか》につめたさを感じた。

心なしか、あたりの空気が変わった。

「プレッシャーが……変わった‼」

新開《しんかい》が変身《へんしん》し始めた。これまで一度たりとも落とさなかった補給食《ほきゅうしょく》が口から落ち、あっという間にうしろにころがっていった。

「こりゃあ……来るで……ホンマに」と、御堂筋《みどうすじ》が思ったと同時に、

「あるるる　るおおあーーーーーーーー」

と新開はさけんだ。舌《した》を三角《さんかく》につき出し、目を見開いて、鬼《おに》の面のような顔で御堂筋のまうしろにせまった。

「来た、鬼《おに》や‼」

と御堂筋《みどうすじ》は思わずさけんだ。

「あるるる　るおおあーーーーーーーーー」

人の言葉とは思えない音を口から発《はっ》しながら、新開《しんかい》がもっとせまってきた。

御堂筋は必死《ひっし》になってダンシングをくりだした。

イヤ　ハァ
あ‼

いる！

はりつかれたか⁉

おそるおそるチラリとうしろを見たが、あわてて前をむき直した。
うそやん……う……!!　この目!!
えものをねらう、けものの目や!!

「うおおおおおぉぉぉぉ!!!」

最後《さいご》の直線《ちょくせん》。クライマックスをむかえ、沿道《えんどう》から地ひびきのような歓声《かんせい》が起こった。その中を悪魔《あくま》と鬼《おに》が行く。

「いけぇぇ、ハコガクーー!!
追いあげてきたァァ」

二台のマシンが進む速度《そくど》と同じ速度で、歓声も前へ進む。最後の勝負《しょうぶ》どころだ。

けど！

しょせんはつながれた鬼《おに》や。

どんなにどうもうでも、手足がふさがれとるかぎり、
おそるるにたらん。

こいつは、左がわがぬけんのや!!

御堂筋《みどうすじ》はもっとギリギリまでマシンを右によせた。

観客《かんきゃく》のいるスレスレのところを二台の自転車がくっついたまま高速走行《こうそくそうこう》している。

「京都《きょうと》ォォォォオ！」

「いけえ、箱根学園《ハコガク》ーーーー!!」

観客の熱気《ねっき》は最高潮《さいこうちょう》だ。

「どうした御堂筋……!!!」

まうしろから新開《しんかい》の声がした。

「おせえーぞ、カメヤロウ‼　おせえ、おせえ、おせえ、おせえっ‼」

御堂筋はもう鬼におびえなかった。

おまえは鬼やけど、つながれた鬼や‼

「左からぬけねェだァ？　だれが決めた、そんなこと。ぬいてやるよ、左をガラあきにしてくれてアリガトよ」

新開はいきおいをつけて左に出た。

あ！　来られた‼

御堂筋の左横をスローモーションのように、新開の自転車が追いぬいていく。

ブレーキは？

御堂筋《みどうすじ》は新開《しんかい》の手を見た。左を通るときにブレーキをかけないように、おや指《ゆび》でグッとおさえている。その力があまりにも強くて、ひとさし指につめがつきささって、血《ち》が流れていた。

あ！

新開は苦しみながら思い切り歯《は》をかみしめていた。
「左からハコガク、いったァァ!!」
と観客《かんきゃく》がさけんだ。

「オオオオオオオオオオオオ！」
と追いぬきざまに、鬼《おに》がほえた。

すまねェ、ウサ吉《きち》
オレは、左をぬくぜ

前に進むしかねェんだ……、
それしか能《のう》がねェんだよ。
おまえの母親《ははおや》の命《いのち》をうばって、
それでも一歩《いっぽ》をふみださなきゃ
歩《ある》きださなきゃ
オレはここにいられねェんだ‼
寿一《じゅいち》、靖友《やすとも》、尽八《じんぱち》……。
心配かけたな……。
永《なが》い間、待たせてすまなかったな……。

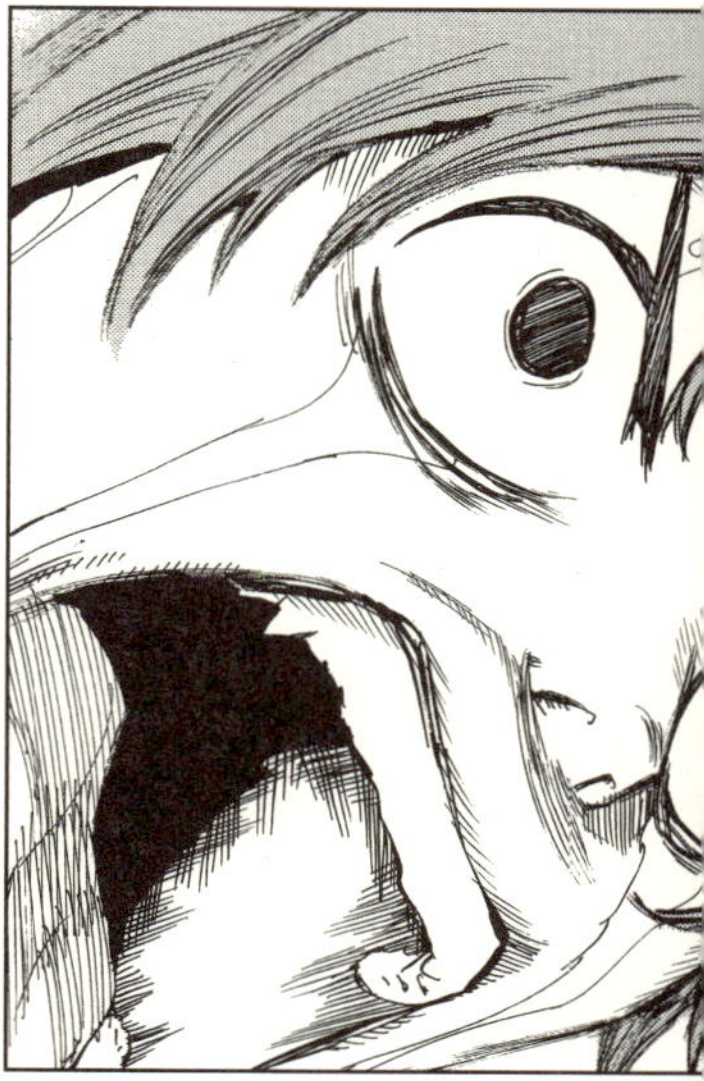

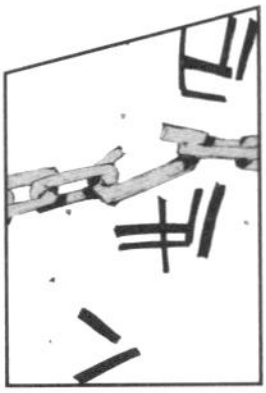

オレはまけない。

オレは箱根学園《はこねがくえん》のエーススプリンターだ!!

オオオオオオオオオオオオ!

新開《しんかい》はついに左がわをぬいて、前に出た。

「箱根学園《ハコガク》、先頭《せんとう》っ!!」

「残り五百メートル!! 形勢逆転《けいせいぎゃくてん》だ!!」

二日目のグリーンゼッケン決着《けっちゃく》

スプリントライン周辺《しゅうへん》では、先頭《せんとう》を待つ観客《かんきゃく》たちがすずなりになっている。

そこへ自転車が入ってきた。二台だ。前とうしろだ。

「来たぞ、京伏《きょうふし》と箱根学園だ！　スプリントをとるのはどっちだ！」

ふり子のようにマシンを左右にふりながら、ダイナミックなダンシングが先に見えてきた。青いジャージだ。

「箱根学園だ！」

「うぉおおおおおお！」

舌《した》をつきだして、鬼《おに》の形相《ぎょうそう》でこぐ新開に、

「残り四百！」

「箱根学園《はこねがくえん》、先行《せんこう》！」

「すっげ、はええ」

「見ろ、うしろ」

「京都伏見《きょうとふしみ》はぜつぼうてきに引きはなされてる!!」

パネル七枚分《まいぶん》、新開《しんかい》が先だ。

新開も御堂筋《みどうすじ》も、決死《けっし》のダンシングでとばせるだけとばす。

「いや、京都がおそいんじゃない。箱根の4番が圧倒的《あっとうてき》に速《はや》すぎるんだ!!」

新開が通りすぎたあと、御堂筋が、

「予定外《よていがい》やァァァ!!」

とさけびながら通っていく。

なんでや。
あいつはここでおちる存在《そんざい》。
絶対的信頼《ぜったいてきしんらい》をえたやつが敗北《はいぼく》することで、箱根学園《ハコガク》の自信は大きくゆらぐ。
そういうシナリオや、このスプリント勝負は!!

ピァアア
おまえが先《せん》　行《こう》していい状《じょう》　況《きょう》じゃ　ないんや!!
ギュイン
ガチィン
イヤハァアアアアアアア

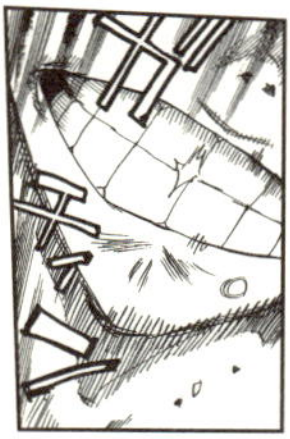

御堂筋はたががはずれた。ひたすらペダルをふみながら、
歯《は》をカチカチさせながら、のたうち回っている。

ええか、
ロードレースにおいて、一位《い》と二位は天と地!!

一番はすべてがみとめられ、二番はすべての努力がむだになる。

だから意味があるんや!!

〝一番になれんかったエーススプリンター〟、それがしょいこむ重責《じゅうせき》はチームをつぶす!!

だから、おまえはここで――。

御堂筋《みどうすじ》はぱしっと自分で顔をたたいた。

そして、なげすてるように言った。

「いや、そんなりくつは、もうどうでもええわ」

顔をふって、あせをふきとばした。

最後《さいご》の最後で、もう一度悪魔《あくま》の顔を取りもどす。

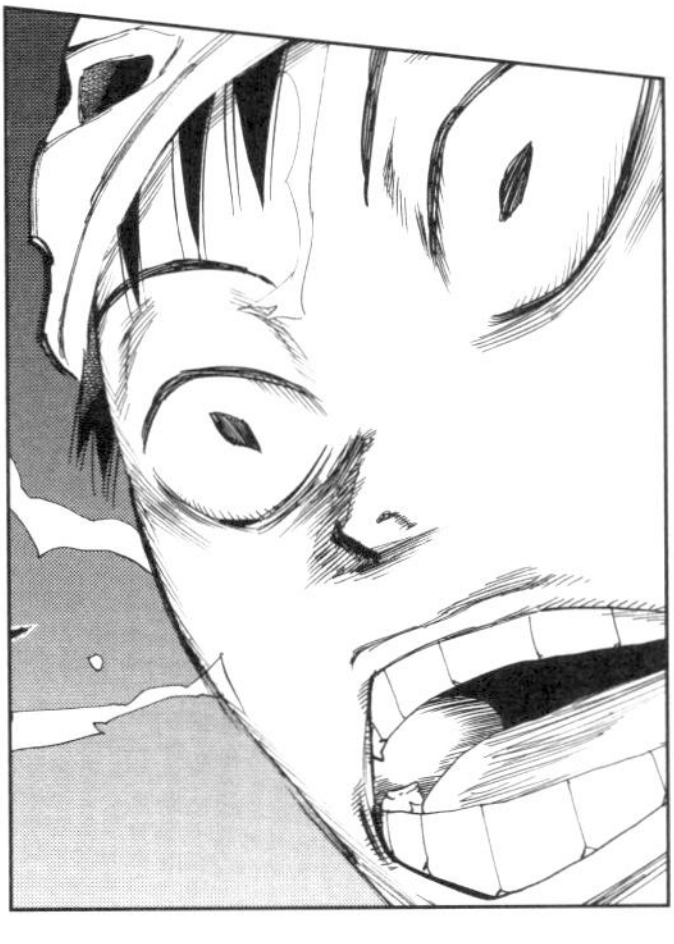

「ァアァアァアァアァアァアァアァアァア!!!

目の前の箱根学園《ハ》4番《エ》を、おとす!」

ァアァア!!!

むちゃくちゃなパワーでペダルを回し始めた。

観客《かんきゃく》がエールを送る。

「お、京都伏見《きょうとふしみ》も追うぞ!」

「あきらめてないぞ!!」

「速《はえ》えっ」

おとす! おとす! おとす!

呪文《じゅもん》のようにとなえながら、御堂筋《みどうすじ》がこぐ。

「けど……差《さ》がちぢまらないぞ‼」
「それくらい箱根学園《はこねがくえん》の4番が速《はや》い！」
「残り……三百だ！」

残りは三百メートルしかない。

そこでグリーンゼッケンが決まる。

「三百‼　ボクは御堂筋翔《あきら》くんや‼　ボクは……」

と御堂筋がぜっきょうしたとき、

「ラインが見えてる。残り二百メートル‼」

と沿道《えんどう》から声。

「ぜったいに勝利する男やーーー‼」

と御堂筋は、バンザイをした。

そして、手ばなし運転を始めると、ズボンのすそから両手を入れた。太《ふと》ももをしばっている白いテープが見えた。

「京都《きょうと》がなにかをはずしたぞ！」

めざとく見つけた観客《かんきゃく》の一人がさけんだ。

太《ふと》もも

ビン

とテープをはずすと、しめつけられていた太ももがぶるうぅんっとふるえて、ひとまわり太くなった。

とたんに、御堂筋のマシンは速度《そくど》が上がった。太ももの最大出力《さいだいしゅつりょく》をおさえるためのテープをぐるりとつけていたのだ。それをついにはずした。

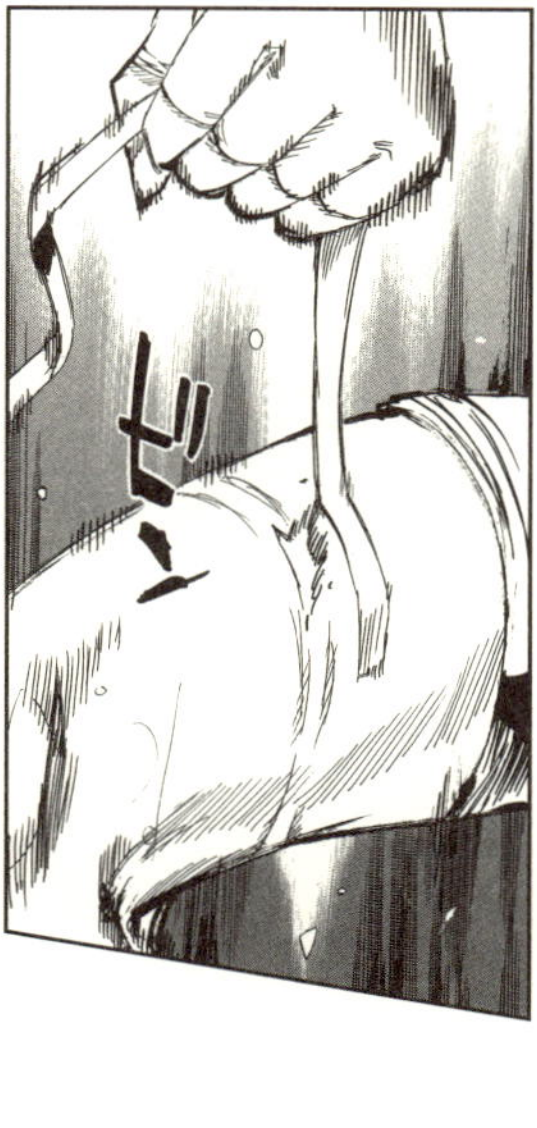

はじきとばされたように、御堂筋《みどうすじ》のマシンは速度《そくど》が一段《だん》上がった。

太《ふと》もも解放《かいほう》――――。
これがボクの――全力の走りやー！
おちろ、箱根学園《ハコガク》！

「うおおお、京都《きょうと》‼」
「京都猛追《もうつい》‼」
「うそだろ！　速《はえ》ええええ」

おとす！
ぜったいにゃ！

かくしていたおくの手を、御堂筋はついに出した。

「残り百メートルで、箱根学園《ハコガク》と京伏《きょうふし》、両者ならんだァァ!!」

と、スプリントライン前の実況放送《じっきょうほうそう》スピーカーがひびいた。

「うそ、なんてこったーー!!」

観客《かんきゃく》たちは、両手をあげて声援《せいえん》を送っている。

二台がならんだ。

新開《しんかい》、御堂筋、両者とも口を開けて、ペダルをふむ。

「ならぶ、まだならんでいる！」

「残り七十！　このままラインをこえるか!!」

「どっちだ！」

「ハコガクか、京伏《きょうふし》か、二日目グリーンゼッケンは！」

「勝利《しょうり》や勝利、勝利‼

勝利以外《いがい》、意味ないわ‼」

悪魔《あくま》がさけぶ。


おそるべき意地と意地のつばぜりあい。

やけどするほど熱《あつ》いデッドヒートに、観客《かんきゃく》がおどる。


「一センチや、一センチでエエ‼

このハエより先にあのラインを‼

勝利するのはこのボクや‼」

悪魔がさけぶ。

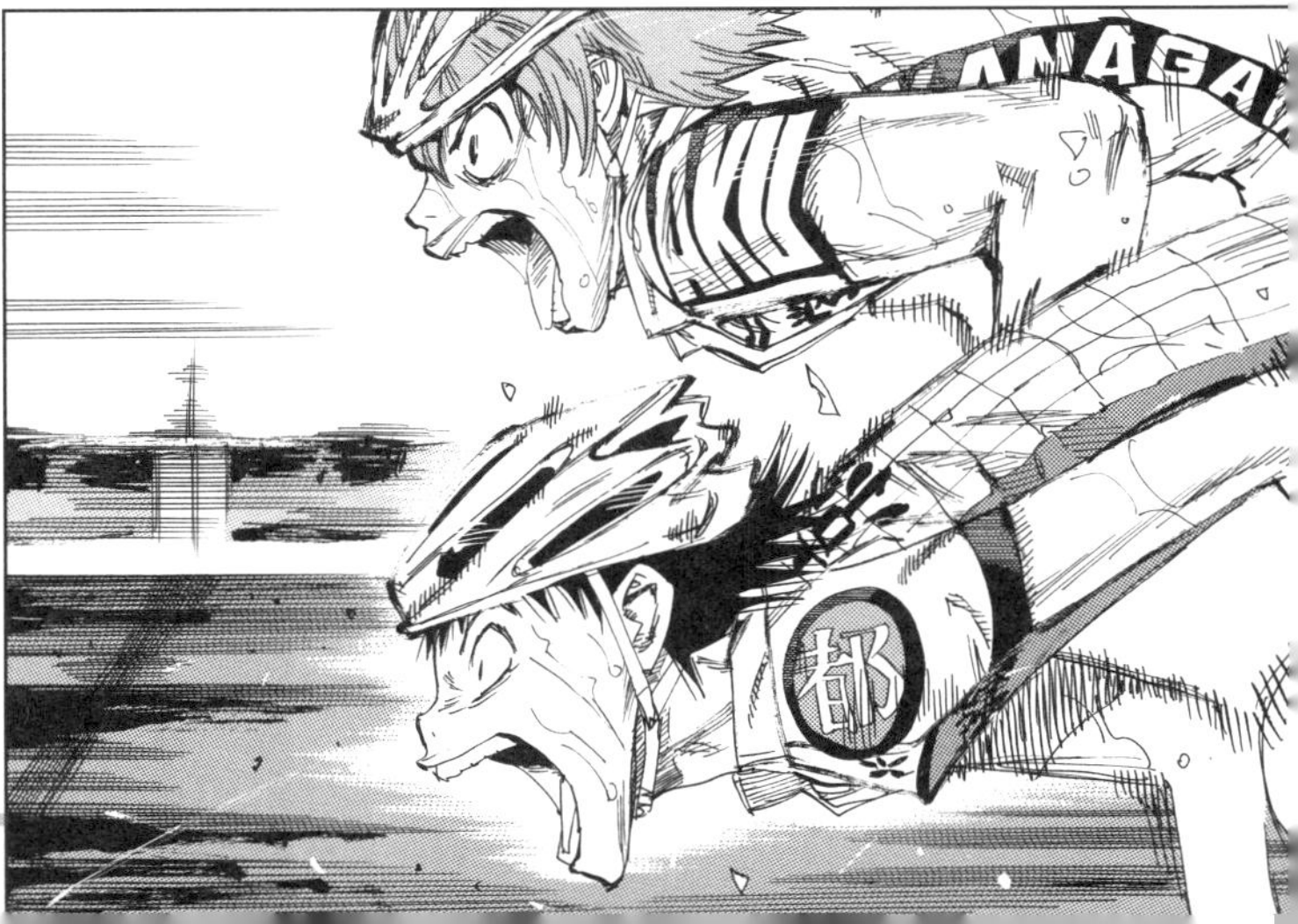

「勝つぜ‼
寿一《じゅいち》、尽八《じんぱち》、靖友《やすとも》、
勝つからよ、チーム、もどったら
最《さい》ッ高《こう》のハイタッチをしてくれるか‼」
鬼《おに》がさけぶ。

「ハコガク出た‼　わずかに先行《せんこう》」
「残り五十メートル‼」

おちろ、
おちろ、
おちろ、
ボクは勝たないかんのや
おまえとはせおっとるもんの

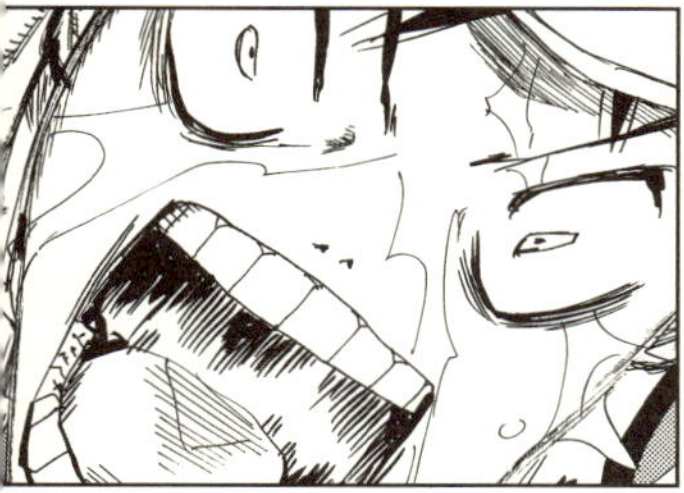

レベルがちがうんや!!

目がつり上がった御堂筋《みどうすじ》の長い舌《した》が口からとび
出て、ベロンベロンと右左にゆれている。

「残り三十」
「京都《きょうと》も追っている。ギリギリついてってってる」
観客《かんきゃく》のこうふんは最高潮《さいこうちょう》だ。

ペダルをぶん回す鬼《おに》と悪魔《あくま》。

最後《さいご》にわらうのは———。

ボクや!!

スプリントライン前の実況放送《じっきょうほうそう》は
「ピッタリならんだままーーー」
とぜっきょうし、そのときを
かたずをのんで待った。

ふむ、ふむふむふむ。
ダンシングが前傾《ぜんけい》すぎたんだ。
おかげで、バイクがうしろになっちまってる。
残念《ざんねん》だけど、
勝敗《しょうはい》は※フロントフォークに取りつけられたセンサーが
ラインを先にこえたかどうかで
決まるんだ。

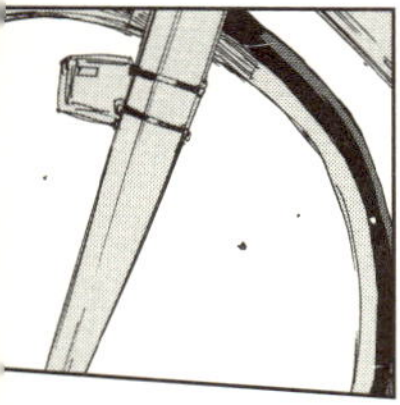

※フロントフォーク
…前輪《ぜんりん》をささえるぼう

御堂筋《みどうすじ》はゆっくりとマシンをおし出した。
自分のシリをサドルのうしろに下げて、その分、だれよりも長い手を前につき出す姿勢《しせい》に変え、マシンをいきおいよくおした。

スプリントラインを二台がまたたくまにこえていった。

もう向こうのほうまで走り去ってしまった。


うそのように、静寂《せいじゃく》がおとずれた。


早起きして場所取りをし、いちばんいい席で見ていた観客《かんきゃく》が、ととなりと顔を見合わせた。

「どっちが勝った?」

「最後《さいご》、京都《きょうと》がさしたろ」

「ハコガクが先に入ったって!」


勝敗《しょうはい》のゆくえはだれにもわからなかった。

実況放送《じっきょうほうそう》を待つだけだ。

ハァ、ハァ、ハァ、　　ハッ、ハッ、ハッ、ハッ、ハッ、

「シナリオどおりや‼」

と悪魔《あくま》がつぶやいた。


ゼェ、ゼェ、ゼェ、ゼェ、ゼェ、ゼェ、ゼェ、ゼェ、ゼェ、ゼェ、

「二日目グリーンゼッケンをかくとくしたのは、京都伏見《きょうとふしみ》、御堂筋《みどうすじ》翔《あきら》選手《せんしゅ》です‼」

と、実況《じっきょう》の声がスピーカーからとどろいた。

その瞬間《しゅんかん》に、ドッと歓声《かんせい》があがった。

御堂筋《みどうすじ》は、歓声《かんせい》にこたえるかのように両手を思いきり広げた。

新開《しんかい》は体を前におりまげて、自転車ごとアスファルトにくずれ落ちそうになっていた。

ハァ、ハァ、ハァ、
ゼェ、ゼェ、ゼェ

新開はまばたきをする力すらも残っていない。
顔をゆがめている。

「インターハイ史上最強《しじょうさいきょう》、最速《さいそく》をおさえた……‼
まちがいないわ。このインターハイのすべての勝利はボクのためにある‼」

新開をたたき落とした御堂筋は、歓喜《かんき》の表情《ひょうじょう》をうかべながら、もう一度、羽《は》ばたくように両手を広げた。

終わった……。

あたりはまだこうふんさめやらず、熱気《ねっき》でおおわれている。

観客《かんきゃく》たちのおしみないはくしゅが空にひびいた。

勝った者と勝てなかった者のすがたが、遠くにシルエットのように見えた。

（続く）

C O L U M N

これでキミも自転車通《つう》!

008

走りながら食べる補給食《ほきゅうしょく》。どんな役目があるのか、今回は勉強しよう!

自転車レースでは、テントの下で選手《せんしゅ》が来るのを今か今かと待《ま》つ補給隊《ほきゅうたい》も大活躍《だいかつやく》。サコッシュという小さいバッグに補給食を入れてわたす。さて、一体、どんなものが入っているのだろう。

補給食の役割

ロードレースのような長距離《ちょうきょり》を走るとき、補給食はたいせつな栄養《えいよう》だよ。成人《せいじん》男子の一日のカロリー摂取量《せっしゅりょう》は2500キロカロリーぐらいだけど、自転車選手は1回のレースで7500キロカロリーも消《しょう》費《ひ》するんだって。

もぐっ

のる時は ちょっとした
のみものと たべものを
携帯しよう!!
フツウの
チョコでも
よいのです。
TA
BE
SPORTS

食べるタイミング

空腹《くうふく》を感じる前に食べ、のどがかわく前に水分などを取ることが大切。エネルギーを使いきって、へとへとになってから補給《ほきゅう》してもすぐには回復《かいふく》できないから、「おなかがすいたなあ」「のどがかわいたなあ」と思う前にちょこちょこ補給することがポイントだよ。新開《しんかい》がもぐもぐと走りながら食べていたのは、こまめなエネルギー補給だったんだね。

市販《しはん》の補給食

走行中《そうこうちゅう》に食べる補給食の種類《しゅるい》は大きく分けて2つ。

① 固形《こけい》タイプ

エネルギーバーやようかんなどの固形物《こけいぶつ》になっている補給食。

食べてからエネルギーになるまで時間がかかるけれど、その分、腹《はら》もちがいい。チョコ味、ピーナッツ味などいろいろな味がたのしめるので、食べることが気分転換《きぶんてんかん》になる。

② 液体《えきたい》タイプ

ゼリー飲料《いんりょう》などの補給食。食べやすく、エネルギーがすばやく体内に吸収《きゅうしゅう》される。

自分で作る

食べやすい大きさのおにぎりも補給食になるよ。夏の暑いときはうめぼしを入れるといたみにくいよ。作者の渡辺《わたなべ》航《わたる》先生もおにぎりが好きらしい。

のみもの

プロ選手《せんしゅ》はそれぞれ調合《ちょうごう》したものを用意する。走りながらたくさんのあせをかくので、こまめな補給がひつようだよ。

[原作者]
渡辺 航（わたなべ　わたる）
漫画家。長崎県出身。MTBやロードバイクなど自転車をこよなく愛し、『弱虫ペダル』の連載を続けながら、多くのアマチュア自転車レースに参戦している。

[ノベライズ]
輔老 心（すけたけ　しん）
ライター。兵庫県出身。『スーパーパティシエ物語』『いやし犬まるこ』（いずれも岩崎書店）など著書多数。

AD　山田 武　　協力　渡邊まゆみ
編集協力　秋田書店

フォア文庫

小説《しょうせつ》 弱虫《よわむし》ペダル8

2022年2月28日　第1刷発行

原作者　渡辺 航
ノベライズ　輔老 心
発行者　小松崎敬子
発行所　株式会社 岩崎書店
〒112-0005 東京都文京区水道1-9-2
電話　03-3812-9131（営業）　03-3813-5526（編集）
00170-5-96822（振替）
印刷・製本所　三美印刷株式会社

ISBN978-4-265-06578-3　NDC913　173×113